Paulo Coelho

Zdrada

tytuł oryginału
Adultério

koncepcja graficzna
Compañía
[www.lookatcia.com]

zdjęcie na okładce
Ingram Publishing

zdjęcie Autora
Marvin Zilm

redakcja i korekta
Bogna Piotrowska

przygotowanie do druku
Katarzyna Marzec

DRZEWO BABEL
UL. LITEWSKA 1o/11 · oo-581 WARSZAWA
listy@drzewobabel.pl
www.drzewobabel.pl

ISBN 978-83-64488-16-0

Paulo Coelho

Zdrada

przełożyła Zofia Stanisławska

O Maryjo bez grzechu poczęta,
módl się za nami, którzy się do Ciebie uciekamy!

Wypłyń na głębię
i zarzućcie sieci na połów!

Św. Łukasz, 5,4

Kiedy rano budzę się i zaczynam „nowy dzień", mam ochotę zamknąć oczy i zostać w łóżku. Niestety muszę wstać.

Mam wspaniałego, szaleńczo zakochanego we mnie męża, który jest właścicielem znanego funduszu inwestycyjnego. Wbrew woli mojego małżonka pismo „Bilan" co rok umieszcza jego nazwisko na liście trzystu najbogatszych obywateli Szwajcarii.

Mam dwoje dzieci, które – zdaniem moich przyjaciółek – są dla mnie „sensem życia". Wcześnie rano robię im śniadanie i odwożę do szkoły, chociaż na piechotę mamy pięć minut. Dzieci spędzają tam większość dnia, co pozwala mi zająć się pracą i innymi sprawami. Po lekcjach pilnuje ich filipińska niania i jest z nimi do naszego powrotu.

Lubię mój zawód. Jestem poważaną dziennikarką w znanej gazecie, którą można kupić na każdym rogu Genewy, naszego miasta.

Raz do roku całą rodzina jedziemy na wakacje, zazwyczaj do bajkowych miejsc z pięknymi plażami. Zwiedzamy „egzotyczne" miasta zamieszkałe przez biedną ludność. Dzięki temu czujemy się bogatsi, bardziej uprzywilejowani i jesteśmy wdzięczni losowi za wszystkie otrzymane dary.

Zapomniałam się przedstawić. Nazywam się Linda. Bardzo mi miło. Mam trzydzieści jeden lat, 175 centymetrów wzrostu i ważę 68 kilo. Dzięki wielkiej hojności mojego męża noszę najdroższe ubrania, na jakie można sobie pozwolić, co budzi zachwyt mężczyzn i zazdrość kobiet.

Mimo to każdego ranka, kiedy otwieram oczy i spoglądam na idealny świat, o którym wszyscy marzą, a tylko niewielu ma szczęście w nim żyć, wiem, że nowy dzień zakończy się kolejną klęską. Jeszcze w zeszłym roku wydawało mi się, że wszystko jest w porządku. Żyłam normalnie, choć raz na jakiś czas dręczyły mnie wyrzuty sumienia, że dostaję od losu zbyt wiele. Któregoś pięknego dnia, kiedy szykowałam śniadanie dla rodziny (pamiętam, że była wiosna, bo w ogrodzie pojawiły się kwiaty), pomyślałam: „I to wszystko?".

Nie powinnam stawiać sobie takich pytań, ale to wina pisarza, z którym poprzedniego dnia przeprowadziłam wywiad.

Pamiętam, jak powiedział:

– Nie interesuje mnie bycie szczęśliwym. Wolę być zakochany, chociaż to bardziej ryzykowne, bo nigdy nie wiadomo, co z tego wyniknie.

Zrobiło mi się go żal. Niespełniony człowiek, który umrze w samotności, zgorzkniały.

Następnego dnia zdałam sobie sprawę, że w moim życiu nie ma żadnego ryzyka.

Wiem, co mnie czeka, bo każdy dzień podobny jest do poprzedniego. Miłość? Oczywiście, kocham mojego męża. Dzięki temu nie wpadam w depresję i wierzę, że jestem z nim nie tylko dla pieniędzy, przez wzgląd na dzieci czy na konwenanse.

Mieszkam w najbezpieczniejszym kraju na świecie, wszystko w moim życiu jest uporządkowane, jestem dobrą żoną i matką. Otrzymałam surowe, protestanckie wychowanie i tak samo zamierzam wychować moje pociechy. Niczego nie ryzykuję z obawy, że mogłabym wszystko stracić. Obowiązki wykonuję sumiennie, ale bez zbytniego angażowania uczuć, chociaż w młodości, jak każdy normalny człowiek, często zakochiwałam się i cierpiałam.

Kiedy wyszłam za mąż, czas się zatrzymał.

Aż do chwili, gdy spotkałam tego przeklętego pisarza i usłyszałam jego słowa. Co jest złego w rutynie i monotonii?

Dla mnie absolutnie nic, chociaż czasem...

... pojawia się strach, że w jednej chwili wszystko się zmieni, a ja nie będę na to przygotowana.

Od tamtego pięknego, wiosennego dnia, kiedy w mojej głowie pojawiła się owa nieszczęsna myśl, zaczęłam się bać. Czy dałabym sobie radę, gdyby nagle zmarł mój mąż? Tak, odpowiedziałam natychmiast – jego majątek starczyłby na pokolenia. A gdybym ja zmarła, kto zająłby się dziećmi? Mój kochany mąż, który prędzej czy później znalazłby sobie drugą żonę. Jest przecież bogaty, uroczy, mądry. Ale czy moje dzieci miałyby dobrą opiekę?

Najpierw starałam się odpowiedzieć na wszystkie dręczące mnie pytania, ale wątpliwości było coraz więcej. Kiedy się zestarzeję, mąż znajdzie sobie kochankę. A może już ma romans, bo coraz rzadziej uprawiamy seks? On też może podejrzewać, że kogoś mam, ponieważ od trzech lat nie poświęcam mu dostatecznie dużo uwagi.

Nigdy nie kłóciliśmy się z powodu zazdrości, co mnie cieszyło. Jednak od owego wiosennego poranka zaczęłam się zastanawiać, czy przypadkiem nie świadczy to o braku miłości.

Próbowałam o tym nie myśleć.

Przez następny tydzień po pracy szłam na zakupy na Rue du Rhône. Nie miałam żadnych specjalnych potrzeb, ale czułam, że robiąc zakupy, zmieniam coś w moim życiu. Kupowałam niepotrzebne dodatki do ubrań, kuchenne gadżety, o których istnieniu nie miałam pojęcia (chociaż w tej dziedzinie trudno wymyślić coś nowego). Unikałam sklepów z odzieżą dziecięcą, żeby nie rozpieszczać moich pociech niespodziewanymi prezentami. Nie odwiedzałam również sklepów z modą męską, żeby moja nagła hojność nie wzbudziła podejrzeń męża.

Po powrocie do domu, do mojego bajkowego królestwa, przez trzy, cztery godziny było wspaniale. Koszmar zaczynał się dopiero, gdy szliśmy spać.

Zawsze uważałam, że namiętność jest dla młodych, a w moim wieku jej brak jest rzeczą naturalną. Nie martwiłam się tym.

Dziś, po kilku miesiącach, jestem rozdarta między strachem przed zmianą a strachem, że do końca mojego życia nic się nie zmieni. Podobno z nadejściem lata ludzie zaczynają mieć dziwne myśli, ponieważ spędzają więcej czasu na świeżym powietrzu. Czują się mali wobec otaczającej ich potężnej przyrody. Horyzont przesuwa się daleko poza chmury nad ich głowami i ściany ich domów.

Może to prawda, ale w moim przypadku nie lato było przyczyną bezsennych nocy. Kiedy robi się ciemno i nikt mnie nie widzi, zaczynam się bać – śmierci, miłości, jej braku, tego, że każda nowość zmieni się w rutynę. Boję się rzeczy nieoczekiwanych, nawet gdyby miały się okazać wspaniałe i fascynujące.

Wtedy próbuję pocieszać się nieszczęściem innych ludzi.

Wstaję i włączam telewizor. Oglądam dziennik, z którego dowiaduję się o wypadkach, kataklizmach, ludziach pozbawionych dachu nad głową, uchodźcach wojennych. Ilu chorych jest na świecie? Ilu cierpi w ciszy lub głośno płacząc? Ile jest niesprawiedliwości, ile zdrad? Ilu biednych, bezrobotnych, ciemiężonych?

Zmieniam kanał. Oglądam serial albo film i uspokajam się na kilka minut. Potem zaczynam się denerwować, że mąż wstanie i zapyta: „Co się dzieje, kochanie?". Musiałabym odpowiedzieć, że wszystko w porządku. Albo jeszcze gorzej – tak jak zdarzyło się to dwa lub trzy razy w zeszłym miesiącu – kiedy wrócimy do łóżka, mąż położy rękę na moim udzie, a potem powoli przesunie ją w górę i zacznie mnie pieścić. Mogę udawać orgazm – robiłam to nieraz – ale nie mogę na zawołanie być wilgotna.

Zacznę się tłumaczyć, że jestem zmęczona. Wtedy on bez zniecierpliwienia i gniewu pocałuje mnie na dobranoc, odwróci się na bok, sprawdzi najnowsze wiadomości na tablecie i jakoś dotrwamy do świtu. A ja będę trzymać kciuki, żeby następnym razem był bardzo, ale to bardzo zmęczony.

Nie zawsze tak jest. Czasem muszę przejąć inicjatywę. Nie mogę odrzucać go przez parę nocy z rzędu, bo znajdzie sobie kochankę, a ja nie chcę go stracić. Chwila masturbacji i jestem gotowa. Wszystko wraca do normy.

„Wszystko wraca do normy" oznacza, że nic nie jest tak jak dawniej, kiedy byliśmy dla siebie tajemnicą.

Przyjaciółki mówią, że mam szczęście. Nie zdają sobie sprawy, że kłamię, kiedy opowiadam, jak często kochamy się z mężem. Zresztą one też kłamią, chwaląc się, że są przez mężów adorowane. Wszystkie jednak zgodnie przyznają, że seks jest ważny przez pierwszych pięć lat małżeństwa, a potem trzeba wykazywać więcej „inwencji". Na przykład można zamknąć oczy i wyobrazić sobie, że uprawiamy seks z sąsiadem i robi on rzeczy, na które nie odważyłby się mąż. Albo że oddajemy się jemu i mężowi jednocześnie, wypróbowując wszelkie perwersje i zakazane zabawy.

Idąc z dziećmi do szkoły, przyjrzałam się mojemu sąsiadowi. Nigdy na jego temat nie fantazjowałam. Wolałabym wyobrażać sobie, jak kocham się z młodym reporterem z naszej redakcji. Odgrywa rolę nieszczęśliwego samotnika. Nigdy nie widziałam, żeby z kimś flirtował i może to mnie w nim pociąga. Wszystkie moje redakcyjne koleżanki chętnie „zaopiekowałyby się biedakiem". Pewnie chłopak dobrze o tym wie, ale wystarczy mu świadomość, że jest obiektem pożądania. Może on też odczuwa przerażający strach przed zrobieniem kroku, który w konsekwencji pozbawiłby go pracy, rodziny, dawnego życia i przyszłości.

Patrząc na mojego sąsiada, miałam ochotę się rozpłakać. Mył samochód, a ja pomyślałam: „Jaki on do nas podobny. Przyjdzie dzień, kiedy niczym nie będziemy się od siebie różnić. Nasze dzieci dorosną i przeniosą się do innego miasta albo zamieszkają w innym kraju, a my przejdziemy na emeryturę i będziemy pucować nasze samochody, chociaż moglibyśmy to komuś zlecić. Jednak w pewnym wieku trzeba zajmować się nieistotnymi rzeczami dla zabicia czasu i udowodnienia innym, że wciąż jesteśmy sprawni, panujemy nad wydatkami i pewne czynności nadal chętnie wykonujemy samodzielnie".

Umycie samochodu nie zmieni biegu historii, ale tego dnia dla mojego sąsiada była to sprawa najważniejsza. Życzył mi miłego dnia, uśmiechnął się i wrócił do pracy z taką nabożnością, jakby czyścił rzeźbę Rodina.

Zostawiam samochód na parkingu – „Korzystaj z transportu publicznego! Dbaj o środowisko!" – wsiadam do autobusu i w drodze do pracy spoglądam przez okno na znajome ulice. Mam wrażenie, że Genewa nie zmieniła się od czasów mojego dzieciństwa. Zabytkowe kamienice uparcie tkwią między budynkami wybudowanymi z inicjatywy jakiegoś szalonego prefekta, który w latach pięćdziesiątych odkrył „nowoczesną architekturę".

Myślę o tym za każdym razem, kiedy jadę autobusem do pracy. Wszystko jest w złym guście, nie ma szklanych wieżowców, tras szybkiego ruchu, a korzenie drzew niszczą betonowe alejki, przez co ciągle się potykamy. W parkach otoczonych starymi, drewnianymi płotami plenią się chwasty, „bo takie jest prawo natury"... To miasto różni się od nowoczesnych metropolii, które zatraciły swój dawny czar.

Tutaj nadal mówimy przechodniowi „dzień dobry", a wychodząc ze sklepu, gdzie przed chwilą kupiliśmy wodę, żegnamy się grzecznym „do widzenia", nawet jeśli nigdy tam nie wrócimy. Zdarza nam się też porozmawiać w autobusie z obcym pasażerem, wbrew utartej opinii, że Szwajcarzy są powściągliwi i małomówni. Dzięki tym stereotypom łatwiej nam zachować własny styl życia. Mam nadzieję, że będzie tak jeszcze przez dobrych pięć stuleci, dopóki przez Alpy nie przeprawią się barbarzyńcy ze swoimi elektronicznymi wynalazkami, mieszkaniami o mikroskopijnych sypialniach i wielkich salonach na pokaz, ostro umalowanymi kobietami, głośno mówiącymi mężczyznami, zakłócającymi spokój sąsiadom, i wyzywająco ubranymi nastolatkami, które drżą przed tym, co powie mama i tata.

Niech sobie wszyscy myślą, że zajmujemy się produkcją sera, czekolady, hodujemy krowy i robimy zegarki. Niech nadal wierzą, że na każdym rogu genewskiej ulicy stoi bank. Nie zamierzamy tego zmieniać, dobrze nam bez barbarzyńców. Poza tym jesteśmy solidnie przygotowani do obrony. Każdy Szwajcar musi odbyć służbę wojskową i posiada w domu broń, choć trzeba przyznać, że rzadko jej używa przeciw drugiemu człowiekowi.

Jesteśmy szczęśliwi, bo od wieków nic się tu nie zmienia. Jesteśmy dumni z tego, że zachowaliśmy neutralność, gdy reszta Europy wysyłała swoich chłopców na bezsensowne wojny. Cieszy nas, że nikomu nie musimy tłumaczyć się z nieatrakcyjnego wyglądu Genewy, miasta, gdzie nieprzerwanie działają kawiarnie z dziewiętnastowiecznym rodowodem, a ulice pełne są starszych pań.

„Jesteśmy szczęśliwi". Może nie do końca. Wszyscy są szczęśliwi, tylko nie ja. Jadę do pracy i zastanawiam się, czy coś jest ze mną nie tak.

W redakcji jak zwykle wszyscy dwoją się i troją, żeby znaleźć jakiś interesujący temat, inny niż zwykłe banalne informacje o wypadku samochodowym, napadzie (bez użycia broni) czy pożarze (jedzie do niego tuzin wozów strażackich z wyszkoloną ekipą, a kiedy strażacy wtargną do starego mieszkania, okaże się, że powodem postawienia na nogi całego miasta było przypalone mięso).

Powrót do domu, miłe chwile w kuchni, cała rodzina przy nakrytym stole, modlitwa dziękczynna. Po kolacji każdy wraca do swoich spraw. Mąż pomaga dzieciom w lekcjach, żona sprząta kuchnię, robi inspekcję mieszkania i przygotowuje pieniądze dla sprzątaczki, która zjawi się jutro rano.

Przez te ostatnie miesiące zdarzają się chwile, gdy czuję się świetnie. Wtedy wiem, że moje życie ma sens i wierzę, że każdy ma do spełnienia w życiu jakąś rolę. Dzieci widzą, że mama jest w dobrym nastroju, mąż od razu jest milszy i bardziej troskliwy, a dom lśni wewnętrznym blaskiem. Jesteśmy przykładną, szczęśliwą rodziną – dla sąsiadów z naszej ulicy, dla mieszkańców miasta, kantonu, dla całego kraju.

Potem wchodzę pod prysznic i nagle, bez żadnego konkretnego powodu zaczynam szlochać. Płaczę podczas kąpieli, ponieważ wtedy nikt mnie nie słyszy i nie dopytuje, czy wszystko w porządku.

Jasne, wszystko w porządku. Dlaczego miałoby być inaczej? Zauważyliście, żeby w moim życiu coś zmieniło się na gorsze?

Nie.

Gdyby nie te noce pełne strachu.

Dni pozbawione radości.

Wspomnienia szczęśliwych dni i żal za tym, co mogło być, a nie było.

Niezaspokojone pragnienie przygody.

Przerażająca niepewność, co będzie z dziećmi.

Kłębią się czarne myśli, zawsze te same, jakby jakiś zły duch czyhał w rogu pokoju i w odpowiedniej chwili rzucał się na mnie, szepcząc „szczęście nie trwa wiecznie". Przecież zawsze o tym wiedziałam, prawda?

Potrzebuję zmiany. Muszę się zmienić. Dziś w pracy zdenerwowałam się tylko dlatego, że stażystka nie przygotowała na czas potrzebnych materiałów. Nigdy tak się nie zachowywałam. Nie poznaję siebie.

Nie mogę za to winić pisarza. Przecież od naszej rozmowy minęło kilka miesięcy. On tylko wywołał erupcję wulkanu, z którego wytrysnęła lawa, siejąc śmierć i zniszczenie. Równie dobrze powodem mógł być film, książka, osoba, z którą zamieniłam dwa słowa. Myślę, że wielu ludzi przez lata żyje w poczuciu narastającej frustracji. Nie zawsze w pełni zdają sobie z tego sprawę, aż któregoś pięknego dnia jakiś drobiazg wyprowadza ich z równowagi i wybuchają.

– Dosyć. Dłużej tego nie zniosę – mówią.

Jedni popełniają samobójstwo, inni rozwodzą się albo jadą jako wolontariusze do biednego afrykańskiego kraju w nadziei, że zbawią świat.

Ale ja znam siebie. Wiem, że moją jedyną reakcją będzie stłumienie uczuć i po jakimś czasie od środka zacznie mnie zżerać rak. Jestem przekonana, że większość naszych chorób bierze się z tłumienia emocji.

Budzę się o drugiej nad ranem i patrzę w sufit. Przypominam sobie, że muszę wcześnie wstać, chociaż bardzo tego nie lubię. Zamiast zastanowić się nad czymś sensownym, na przykład odpowiedzieć na pytanie, co się ze mną dzieje, gubię się w natłoku nieuporządkowanych myśli. Czasami, na szczęście rzadko, poważnie rozważam, czy nie zgłosić się na oddział psychiatryczny. Nie powstrzymuje mnie przed tym praca ani mąż, tylko dzieci. Za nic w świecie nie mogą dowiedzieć się, co czuję.

Wracają natrętne myśli o małżeństwie, w którym nie ma zazdrości. Kobiety obdarzone są szóstym zmysłem. Być może intuicja podpowiada mi, że mąż kogoś poznał, chociaż nie zauważyłam żadnych oznak potwierdzających moje przypuszczenia.

Czy to nie absurd? Przecież wyszłam za mąż za idealnego mężczyznę. Nie pije, wieczorem wraca do domu, rzadko spotyka się z kolegami. Rodzina jest dla niego wszystkim.

Brzmi jak marzenie, gdyby nie było koszmarem. Ta sytuacja sprawia, że czuję ogromną presję, by sprostać jego oczekiwaniom.

Zdaję sobie sprawę, że „optymizm" i „nadzieja" to tylko słowa nadużywane w poradnikach uczących, jak żyć. Mądrzy ludzie, którzy je piszą, sami szukają sensu życia, nas traktując jak króliki doświadczalne, na których sprawdzają reakcję na wybrane bodźce.

Przyznaję, że jestem zmęczona szczęśliwym, idealnym życiem, a to niezawodnie świadczy o chorobie psychicznej.

Zasypiam. Może rzeczywiście jest ze mną bardzo źle?

Idę na obiad z przyjaciółką.
Proponuje japońską restaurację, o której nigdy nie słyszałam. Dziwne, bo przepadam za japońską kuchnią. Przyjaciółka zapewniła, że to świetne miejsce, chociaż daleko od mojej pracy.
Dotrzeć tam nie było łatwo. Musiałam jechać dwoma autobusami i na przystanku spytać o drogę. Wreszcie trafiłam do „świetnej" restauracji, która znajduje się w galerii handlowej. Wszystko wydawało mi się okropne – wystrój, stoliki z papierowymi obrusami, brak okien. Jednak przyjaciółka miała rację: to najlepsza restauracja japońska w Genewie.

– Dotąd jadałam w innej restauracji. Nic szczególnego – powiedziała przyjaciółka. – Aż któregoś dnia zaprosił mnie tu znajomy, który pracuje w japońskim konsulacie. Jak widzisz, na pierwszy rzut oka miejsce wydaje się obskurne, ale kuchni osobiście doglądają właściciele. Wiesz, jakie to ważne.
Zazwyczaj chodzę do tych samych restauracji i zawsze zamawiam to samo. Nie potrafię zaryzykować nawet w takich małych sprawach.
Moja przyjaciółka bierze leki antydepresyjne. Nie mam ochoty rozmawiać z nią na ten temat. Dziś zdałam sobie sprawę, że sama jestem o krok od załamania, ale nadal nie chcę się do tego przyznać.

I właśnie dlatego, że nie chcę na ten temat rozmawiać, robię dokładnie odwrotnie. Cudze nieszczęścia pomagają ukoić własne cierpienie.

Pytam, jak się czuje.

– Znacznie lepiej. Trochę to trwało, ale kiedy leki zaczęły działać, od razu poczułam poprawę. Zniknęła apatia, życie znów ma kolor i smak.

Po raz kolejny przemysł farmaceutyczny zarobił na cudzym cierpieniu. Jesteś smutny? Weź tabletkę, a twoje kłopoty znikną.

Ostrożnie pytam, czy nie zechciałaby wypowiedzieć się dla mojej gazety, która przygotowuje duży artykuł o depresji.

– To nie ma sensu. Teraz każdy opowiada o swoich odczuciach w internecie. I są na to lekarstwa.

Ciekawe, o czym rozmawiają w internecie.

– O efektach ubocznych zażywania leków. Nikogo nie obchodzą cudze choroby, bo a nuż mogliby się zarazić albo poczuć coś, czego wcześniej nie doświadczyli.

O czym jeszcze dyskutują?

– O ćwiczeniach, medytacji. Osobiście uważam, że to nic nie daje. Próbowałam wszystkiego, ale polepszyło mi się dopiero, kiedy przyznałam się przed sobą, że mam problem.

Nie pomaga świadomość, że nie jest się osamotnionym w nieszczęściu? Czy nie krzepi rozmowa z drugim człowiekiem o swoich uczuciach?

– Ależ skąd! Jeśli ktoś wyszedł z piekła, nie ma ochoty przypominać sobie, jak tam było.

Dlaczego tyle lat żyła w tym stanie?

– Nie wierzyłam, że mam depresję. Kiedy rozmawiałam z tobą albo z naszymi koleżankami, mówiłyście, że to głupstwo, że inni przeżywają większe dramaty i nie mają czasu na depresję.

Rzeczywiście tak mówiłam. Nie daję za wygraną i upieram się, że artykuł w gazecie albo post na blogu mógłby ludziom pomóc przezwyciężyć rozpacz i znaleźć pociechę. Dodaję z przekonaniem, że ja nie wiem, czym jest depresja i dlatego liczę na jej wyjaśnienia.

Przyjaźnimy się od lat, zna mnie. Waha się, jakby mi nie dowierzała.

– To tak, jakbyś znalazła się w pułapce. Widzisz, że jesteś uwięziona, ale nie umiesz się uwolnić...

Dokładnie to samo poczułam parę dni temu.

Przyjaciółka zaczyna wymieniać objawy znane każdemu, kto znalazł się w „piekle". Nie chce się wstawać z łóżka. Najprostsze czynności wydają się niewykonalne. Pojawiają się wyrzuty sumienia. Nie mamy powodu tkwić w tym stanie, kiedy tak wielu ludzi na świecie przechodzi prawdziwe dramaty.

Próbuję skoncentrować się na wyśmienitym jedzeniu, ale nagle traci ono smak.

– Apatia – ciągnie moja przyjaciółka. – Udawanie radości, udawanie smutku, udawanie orgazmu, udawanie dobrego humoru, udawanie życia. W końcu dochodzisz do czerwonej linii i zdajesz sobie sprawę, że jeśli ją przekroczysz, nie będzie odwrotu. Wtedy akceptujesz to, co się z tobą dzieje, bo bunt oznaczałby, że musisz walczyć. Godzisz się na wegetację i próbujesz ukryć przed światem swój stan, chociaż wymaga to ogromnego wysiłku.

Co było powodem twojej depresji?

– Nic szczególnego. Właściwie dlaczego mnie tak wypytujesz? Źle się czujesz?

Oczywiście, że nie.

Lepiej zmienić temat.

Mówię jej o polityku, z którym pojutrze przeprowadzam wywiad. To mój były chłopak z liceum. Pewnie nawet nie pamięta, że kiedyś podczas pocałunku chwycił mnie za niedojrzałą, małą pierś.

Moja przyjaciółka jest zachwycona. Ja staram się o tym nie myśleć. Jest mi to obojętne.

Apatia. Jeszcze nie doszłam do takiego stanu, wypieram fakt, że coś się ze mną dzieje. Ale to pewnie kwestia czasu, miesięcy, dni, godzin. Niebawem wszystko stanie mi się obojętne i przestanę się buntować.

Mam wrażenie, że moja dusza powoli opuszcza ciało i udaje się w nieznanym kierunku, do jakiegoś „bezpiecznego" miejsca, gdzie nie musi znosić huśtawki nastrojów i nocnych koszmarów. Nie ma mnie w brzydkiej, japońskiej restauracji z pysznym jedzeniem. Zdaje mi się, że oglądam scenę z jakiegoś filmu. Nie mogę i nie chcę wpływać na akcję.

Wstaję i powtarzam codzienny rytuał. Myję zęby, ubieram się, maluję, budzę dzieci, robię śniadanie, uśmiecham się, mówię, że życie jest piękne. W każdej minucie, w każdym geście czuję dziwny ciężar. Jestem jak zwierzę, które jeszcze nie rozumie, jakim cudem wpadło w sidła.

Jedzenie traci smak, za to uśmiech staje się coraz szerszy (żeby nikt się nie domyślił). Połykam łzy, światło traci blask.

Wczorajsza rozmowa mnie przygnębiła. Mam wrażenie, że przestałam walczyć i poddaję się apatii.

Czy nikt tego nie widzi?

Nie, nawet ja. Za nic w świecie nie przyznam się, że potrzebuję pomocy.

I to jest właśnie mój problem. Wulkan wybuchł, a ja próbuję wepchnąć lawę do środka, żeby zasiać trawnik, posadzić drzewa i wypuścić na pastwisko owce.

Nie zasługuję na taki los. Zawsze starałam się zaspokajać potrzeby innych. Ale niestety stało się i nic na to nie poradzę. Mogę tylko brać leki. Wymyślę jakiś powód, żeby napisać artykuł o psychiatrii i ubezpieczeniach zdrowotnych (uwielbiają ten temat). Spotkam się z dobrym psychiatrą i poproszę o pomoc, łamiąc zasady etyki zawodowej. Cóż, nie wszystko w świecie jest etyczne.

Nie mam żadnej obsesji. Nie chcę się odchudzać, nie

muszę mieć w domu idealnego porządku, nie czepiam się sprzątaczki, która przychodzi o ósmej rano i wychodzi o piątej po południu. Mam uprane i wyprasowane ubrania, wysprzątany dom, a nawet zrobione zakupy. Nie wolno mi wyładowywać swoich frustracji na dzieciach, udając super mamę, bo skutki mojego zachowania odczuwałyby do końca życia.

Wychodzę do pracy. Sąsiad poleruje swoje auto. Nie robił tego wczoraj?

Chcąc zaspokoić ciekawość, podchodzę i pytam, dlaczego to robi.

– Trzeba było jeszcze poprawić w paru miejscach – tłumaczy.

Pyta o moją rodzinę, po czym komplementuje moją sukienkę.

Spoglądam na jego audi (Genewę nazywają czasem Audilandią). Wydaje mi się, że samochód lśni, ale sąsiad wskazuje palcem fragment karoserii, który za słabo błyszczy. Przedłużam rozmowę. Wreszcie pytam, co według niego jest dla ludzi najważniejsze w życiu.

– To proste. Pieniądze na opłacenie rachunków, kupno domu, takiego jak mamy pani i ja. Ogródek, żeby w niedzielę przyjmować na obiedzie dzieci i wnuki. A kiedy przejdą na emeryturę, chcą zwiedzać świat.

Czy rzeczywiście tego pragną ludzie? Tak niewiele im trzeba? Z tego wynika, że świat jest chory i to wcale nie z powodu wojen w Azji czy na Bliskim Wschodzie.

Zanim pójdę do redakcji, muszę zrobić wywiad z Jakubem, moim chłopakiem z liceum. Nie chce mi się. Nic mnie nie interesuje.

Opowiada mi o programach rządowych, mimo że o to nie prosiłam. Kiedy zadaję trudne pytanie, zręcznie wymiguje się od odpowiedzi. Jest o rok młodszy ode mnie. Ma trzydzieści lat, chociaż wygląda na trzydzieści pięć. Oczywiście nie mówię mu tego. Miło było się spotkać po latach. Zdziwiło mnie, że nie pyta, jak potoczyło się moje życie od chwili naszego rozstania po maturze. Jest skoncentrowany na sobie, na własnej karierze i przyszłości, podczas gdy ja z sentymentem patrzę wstecz, kiedy to byłam dziewczyną z aparatem na zębach, której i tak zazdrościły wszystkie koleżanki.

Po jakimś czasie przestaję go słuchać i włączam tryb automatyczny. Zawsze ten sam scenariusz, te same sprawy – obniżenie podatków, zwalczanie przestępczości, ściślejsza kontrola przekraczających granicę Francuzów (nazywanych „przygranicznikami"), którzy odbierają Szwajcarom pracę. Mija rok, drugi, a tematy i problemy pozostają te same. Nie ma szans na zmianę, bo nikogo to tak naprawdę nie obchodzi.

Po dwudziestu minutach zadaję sobie pytanie, czy mój ostentacyjny brak zainteresowania związany jest z moim obecnym, dziwnym stanem. Wątpię. Nie ma nic nudniejszego niż przeprowadzanie wywiadu z politykiem. Zdecydowanie ciekawsze byłoby opisanie zbrodni. Mordercy są przynajmniej autentyczni.

Nie ma nudniejszych i bardziej mdłych polityków na

świecie niż moi rodacy. Nikt nie interesuje się ich życiem prywatnym. Tylko dwie rzeczy mogą wywołać skandal – korupcja i narkotyki. Z powodu chronicznego braku ciekawych tematów taka sprawa zostaje rozdmuchana do nieprawdopodobnych rozmiarów.

Kogo obchodzi, że polityk ma kochankę, chodzi do burdelu albo postanawia przyznać się do homoseksualizmu? Nikogo. Dopóki zajmuje się tym, do czego został wybrany, nie szasta publicznymi pieniędzmi i daje nam spokojnie żyć, wszystko jest w porządku.

Prezydent wybierany jest co rok (tak – co rok), i to nie przez naród, lecz przez rządzącą Szwajcarią Radę Federalną, która składa się z siedmiu ministrów. Ale jest też druga strona medalu. Ile razy mijam budynek Muzeum Sztuk Pięknych, widzę plakaty informujące o kolejnym referendum.

Nasze społeczeństwo chce decydować o wszystkim – od koloru toreb na śmieci (wygrał kolor czarny), zezwolenia na broń (przytłaczająca większość poparła projekt i teraz Szwajcaria jest krajem, gdzie mamy najwięcej na świecie sztuk broni na głowę mieszkańca), liczby minaretów, które mogą powstać w kraju (cztery), aż po kwestię ograniczenia emigracji (nie zajmowałam się sprawą, ale zdaje mi się, że przegłosowano nową ustawę i jest ona realizowana).

– Panie König – do gabinetu po raz drugi wchodzi asystent i przerywa nam rozmowę.

König uprzejmie prosi go o przełożenie następnego spotkania. Pracuję dla największej szwajcarskiej gazety w języku francuskim i ten wywiad może mu bardzo pomóc w zbliżających się wyborach.

Jakub udaje, że mnie przekonał, ja udaję, że dałam się przekonać.

Mimo wszystko jestem zadowolona. Wstaję, dziękuję za spotkanie. Mówię, że mam wystarczająco dużo materiału, żeby napisać artykuł.

– Niczego więcej nie potrzebujesz?

Owszem, potrzebuję, ale nie powiem mu, co chodzi mi po głowie.

– Może spotkamy się po pracy?

Wyjaśniam, że muszę odebrać dzieci ze szkoły. Mam nadzieję, że zauważył na moim palcu szeroką, złotą obrączkę, która mówi: „co było, minęło".

– Rozumiem. To może zjemy kiedyś obiad?

Zgadzam się. Z łatwością to sobie tłumaczę. Kto wie, może powie mi coś ważnego, wyjawi sekret wagi państwowej, coś, co wpłynie na poważne zmiany w polityce. Dzięki zdobytej informacji redaktor naczelny spojrzy na mnie łaskawszym okiem.

Jakub podchodzi do drzwi gabinetu i zamyka je na klucz. Wraca i całuje mnie w usta. Odwzajemniam pocałunek. Minęło tyle lat od chwili, gdy robiliśmy to po raz ostatni. Tylko że teraz Jakub, którego kiedyś być może kochałam, jest dorosłym mężczyzną i ma żonę wykładającą na uniwersytecie. A ja jestem matką i żoną dziedzica fortuny, który mimo wielkiego majątku nie rezygnuje z ciężkiej pracy.

Powinnam go odepchnąć i powiedzieć, że nie jesteśmy dziećmi. Nie robię tego, bo nowa sytuacja coraz bardziej mi się podoba. Odkryłam świetną japońską restaurację, a przed chwilą zrobiłam coś, czego nie powinnam. Mimo że złamałam zasady, świat się nie zawalił! Dawno nie byłam taka szczęśliwa.

Z każdą sekundą czuję się coraz lepiej, nabieram odwagi, smakuję wolność. Robię coś, o czym marzyłam, kiedy chodziliśmy ze sobą w szkole.

Klękam, rozpinam mu rozporek i zaczynam pieścić ustami jego przyrodzenie. Jakub chwyta mnie za głowę i nadaje rytm. Po minucie eksploduje.

– Cudownie!

Nie odpowiadam. Prawdę mówiąc, dla mnie było to o wiele milsze niż dla Jakuba, który miał przedwczesny wytrysk.

Kiedy popełnimy grzech, ogarnia nas strach, że prawda wyjdzie na jaw.

W drodze do redakcji kupuję pastę i szczoteczkę do zębów. Co pół godziny idę do łazienki i sprawdzam, czy nie mam brudnej twarzy, czy nie widać czegoś na bluzce od Versace, której haftowany wzór świetnie maskuje plamy. Kątem oka obserwuję kolegów (przede wszystkim kobiety, które mają szósty zmysł i wszystkiego się domyślają), ale nikt nie zwraca na mnie uwagi.

Jak do tego doszło? Mam wrażenie, że zawładnęła mną jakaś obca siła i popchnęła do czysto mechanicznego, wyzbytego erotyzmu aktu. A może w ten sposób chciałam udowodnić Jakubowi, że jestem dorosłą, niezależną kobietą i robię to, na co mam ochotę? Chciałam mu zaimponować, czy może uciec przed „piekłem", o którym wspomniała moja przyjaciółka?

Wszystko będzie jak dawniej. Nie stoję na rozdrożu. Wiem, dokąd zmierzam i mam nadzieję, że uda mi się tak pokierować życiem mojej rodziny, żebyśmy za ileś lat nie uważali mycia samochodu za szczyt szczęścia. Wielkie zmiany następują z czasem – a tego akurat mi nie brakuje.

Przynajmniej mam taką nadzieję.

Wracam do domu. Staram się nie być ani zbyt miła, ani zbyt smutna. Dzieci natychmiast to zauważają.

– Mamusiu, jesteś dzisiaj jakaś dziwna.

Mam ochotę odpowiedzieć, że zrobiłam coś strasznego, ale wcale nie czuję się winna, tylko boję się, że prawda wyjdzie na jaw.

Wraca mąż i jak zwykle całuje mnie na powitanie. Pyta, jak minął dzień i co jest na kolację. Odpowiadam tak, żeby go zadowolić. Jeśli nie zauważy niczego podejrzanego, nie przyjdzie mu do głowy, że dziś po południu miałam oralny stosunek z pewnym politykiem.

Stosunek, który nie przyniósł mi fizycznego spełnienia i dlatego teraz płonę z pożądania. Potrzebuję mężczyzny, pocałunków, chcę czuć ból i rozkosz ciała na moim ciele.

•

Kiedy idziemy na górę do sypialni, jestem podniecona do granic wytrzymałości i chcę kochać się z moim mężem. Muszę jednak działać ostrożnie, bez ekscesów. Inaczej zacznie coś podejrzewać.

Biorę prysznic, idę do łóżka, odbieram mężowi tablet i odkładam go na nocną szafkę. Zaczynam głaskać męża po torsie. Szybko się podnieca. Dawno nie kochaliśmy się tak namiętnie. Kiedy zbyt głośno jęczę, mąż mnie ucisza, bo obudzę dzieci. Odpowiadam, że mam dosyć takich uwag i będę robić, co mi się podoba.

Mam kilka orgazmów. Boże, jak ja kocham tego człowieka! Opadamy na łóżko, wycieńczeni i spoceni. Po raz drugi idę się umyć. Mąż wchodzi pod prysznic i zaczyna pieścić mnie strumieniem ciepłej wody. Proszę, żeby przestał, bo mnie to podnieca. Jestem zmęczona, a rano musimy wcześnie wstać.

Wycieramy się nawzajem. Tak bardzo pragnę zmienić coś w moim życiu, że proszę męża, abyśmy wybrali się do dyskoteki. Kiedy to mówię, mam wrażenie, że zaczyna coś podejrzewać.

– Jutro?

Jutro nie mogę, mam jogę.

– Jeśli już jesteśmy przy temacie, mogę zadać ci pytanie?

Serce przestaje mi bić.

– Po co ci te zajęcia jogi? Jesteś taka spokojna, zrównoważona, wiesz, czego chcesz. Nie uważasz, że to strata czasu?

Moje serce zaczyna bić miarowym rytmem. Nie odpowiadam. Uśmiecham się i wycieram ręcznikiem jego twarz.

●

Rzucam się na łóżko i zamykam oczy. Teraz jestem prawie pewna, że przechodzę kryzys wieku średniego. Ale to minie.

Nie wszyscy muszą cały czas być szczęśliwi. Właściwie to niemożliwe. Trzeba nauczyć się trzeźwo patrzeć na rzeczywistość.

Droga depresjo, nie zbliżaj się do mnie. Nie bądź niemiła. Idź sobie do innych, do ludzi, którzy mają więcej powodów, żeby spojrzeć w lustro i powiedzieć: „Życie jest bez sensu". Czy ci się to podoba, czy nie, i tak z tobą wygram.

Depresjo, tracisz ze mną czas.

Spotkanie z Jakubem Königiem przebiega dokładnie tak, jak sobie wyobrażałam. Idziemy do La Perle du Lac, drogiej restauracji na brzegu jeziora. Niegdyś świetnie prosperujący lokal dziś otrzymuje dotacje od miasta. Nadal jest drogo, chociaż jedzenie serwują okropne. Mogłam go zaskoczyć i zaproponować restaurację japońską, którą niedawno odkryłam, ale pewnie uznałby, że mam zły gust. Dla wielu ludzi wystrój jest ważniejszy od jedzenia.

Teraz przekonuję się, że dobrze zrobiłam. Jakub popisuje się przede mną znajomością win. Ocenia „bukiet", „klarowność", „łzę", czyli strużkę spływającą po ściance kieliszka. Pokazuje w ten sposób, że dorósł, nie jest już chłopcem ze szkoły, wiele przeżył, osiągnął sukces, poznał świat, wina, politykę, kobiety, miał kilka narzeczonych.

Jakie to śmieszne! My Szwajcarzy rodzimy się i umieramy z kieliszkiem wina w ręku. Potrafimy odróżnić wino dobre od złego. To wszystko.

Dopóki nie poznałam mojego męża, wszyscy mężczyźni, z którymi się spotykałam, byli przekonani, że długa degustacja wina świadczy o ich obyciu. Wszyscy zachowywali się jednakowo. Traktowali wybór wina w restauracji jak chwilę swojej wielkiej chwały. Każdy robił to samo: z miną wielkiego znawcy wąchał korek, czytał informację na etykiecie, pozwalał kelnerowi nalać do kieliszka odrobinę wina, kręcił nim, podnosił do światła, wąchał bukiet, wolno degustował, wreszcie skinieniem głowy akceptował wybór.

Tak często uczestniczyłam w tych rytuałach, że któregoś dnia miałam dosyć. Zaczęłam spotykać się z nerdami, maniakami komputerowymi trzymającymi się z dala od zwykłego życia studenckiego. W odróżnieniu od przewidywalnych i nadętych degustatorów win nerd zachowywał się autentycznie i nie starał się mi zaimponować. Mówił o rzeczach, o których nie miałam pojęcia. Był przekonany, że powinnam znać markę „Intel", bo „jest na wszystkich komputerach", ale ja nigdy nie zwracałam na to uwagi.

Nerd sprawiał, że czułam się ignorantką, kobietą nieatrakcyjną. Bardziej interesowało go hakerstwo internetowe niż moje piersi i nogi. Dlatego szybko wróciłam do degustatorów win. Po jakimś czasie spotkałam mężczyznę, który nie starał się imponować mi swoim wyszukanym gustem i nie uważał, że jestem idiotką, bo nie potrafię rozmawiać o tajemniczych planetach, hobbitach i programach komputerowych, kasujących informacje o odwiedzanych stronach internetowych. Po kilku miesiącach znajomości, podczas których zwiedziliśmy co najmniej 120 miejscowości okalających Jezioro Lemańskie, chłopak poprosił mnie o rękę.

Zgodziłam się natychmiast.

Pytam Jakuba, czy zna jakąś dyskotekę, ponieważ od dawna nie korzystam z uroków nocnego życia Genewy. Tłumaczę, że w piątek chcę wyjść na drinka i potańczyć. Widzę błysk w jego oczach.

– Niestety nie mogę ci towarzyszyć. Wiesz, że jestem żonaty. Poza tym nie wolno mi pokazywać się publicznie z dziennikarką. Uznają, że twój artykuł jest...

Tendencyjny?

– Właśnie, tendencyjny.

Postanawiam kontynuować grę, zawsze lubiłam flirtować. Nie mam nic do stracenia. Znam wszystkie sposoby, sztuczki, zasadzki i cele.

Proszę, żeby opowiedział mi więcej o sobie. Nie przyszłam tu jako dziennikarka, ale dorosła kobieta i jego dawna szkolna miłość.

Podkreślam słowo „kobieta".

– Nie mam życia prywatnego – wyznaje Jakub. – Niestety. Wybrałem karierę, która zmieniła mnie w robota. Wszystko, co robię, jest kontrolowane, krytykowane i opisywane.

Nie do końca się z nim zgadzam, ale jego szczerość mnie rozbraja. Bada teren, sprawdza grunt i chce wiedzieć, jak daleko może się posunąć. Daje do zrozumienia, że jest „nieszczęśliwy w małżeństwie", czyli robi dokładnie to, co wszyscy dorośli mężczyźni, kiedy wypiją parę kieliszków wina i zaczynają prężyć przed kobietą muskuły.

– W ciągu ostatnich dwóch lat było kilka radosnych miesięcy, kilka pracowitych, ale ogólnie to nieustanna walka o przetrwanie na stanowisku i schlebianie ludziom, żeby znów mnie wybrali. Muszę rezygnować ze wszystkiego, co lubię, na przykład z pójścia z tobą do dyskoteki. Nie słucham już muzyki, nie palę i nie robię niczego, co ludzie mogliby uznać za niestosowne.

Przesada! Nikogo nie interesuje jego życie prywatne.

– Może to wina Saturna. Co 29 lat wraca do miejsca, gdzie był w dniu naszych narodzin.

Powrót Saturna?

Jakub zdaje sobie sprawę, że powiedział za dużo i sugeruje, że powinniśmy wracać do pracy.

Nie. Ja czuję, że w moim przypadku powrót Saturna już nastąpił. Jakub robi mi mały wykład z astronomii. Co 29 lat Saturn wraca do miejsca, w którym znajdował się w dniu naszych narodzin. Do tego momentu wydaje nam się, że wszystko jest możliwe, że spełnią się nasze marzenia, a otaczający nas mur da się zburzyć. Kiedy Saturn zatoczy koło, pryska romantyczne złudzenie. Nie sposób cofnąć podjętych decyzji, a zmiana kursu jest praktycznie niemożliwa.

– Nie za bardzo się na tym znam, ale to oznacza, że moja następna szansa pojawi się przed pięćdziesiątym ósmym rokiem życia, kiedy Saturn będzie zataczał drugie koło. Dlatego nie za bardzo rozumiem, dlaczego jemy razem obiad. Przecież Saturn mówi, że za późno na zmianę drogi. Siedzimy tu i rozmawiamy przeszło godzinę. Jesteś szczęśliwa?

Co?

– Zauważyłem coś w twoich oczach… jakiś smutek. To dziwne, bo jesteś piękną mężatką i masz dobrą pracę. Kiedy patrzę na ciebie, mam wrażenie, że widzę swoje odbicie. Dlatego jeszcze raz spytam: jesteś szczęśliwa?

W kraju, w którym dorastałam i teraz wychowuję dzieci, nikt nie zadaje takich pytań. Szczęścia nie można precyzyjnie zmierzyć, zagłosować za lub przeciw w jakimś referendum albo dać do analizy specjalistom. Nie pytamy nawet o markę czyjegoś samochodu, a co dopiero o sprawy tak osobiste i niejednoznaczne jak szczęście.

– Nie musisz odpowiadać. Twoje milczenie mi wystarczy.

Nieprawda. Milczenie nie jest odpowiedzią, lecz oznaką zdziwienia, zaskoczenia.

– Ja nie jestem szczęśliwy – ciągnie Jakub. – Mam wszystko, o czym marzy mężczyzna, ale nie jestem szczęśliwy.

Czyżby zatruli miejską wodę? Może ktoś chce zniszczyć nasz kraj, dodając do wody chemiczną substancję, która wywołuje frustrację. To niemożliwe, żeby każdy, z kim rozmawiam, czuł dokładnie to, co ja.

Do tej pory milczałam, ale teraz zrozumiałam, że cierpiące dusze w niewyjaśniony sposób potrafią się rozpoznać i przyciągnąć, potęgując swoje cierpienie.

Dlaczego tak późno to zauważyłam, dlaczego koncentrowałam się na jego powierzchownych opiniach o polityce i sposobie, w jaki degustował wino?

Powrót Saturna. Smutek. Tego nie spodziewałam się po panu Königu.

Patrzę na zegarek. Jest 13:55. Po raz drugi zakochałam się w Jakubie. Nikt, nawet mój wspaniały mąż, nie zapytał mnie, czy jestem szczęśliwa. Może kiedy byłam dzieckiem, czasem rodzice albo dziadkowie pytali, czy jestem zadowolona, ale to wszystko.

– Spotkamy się jeszcze?

Patrzę na niego i nie widzę mojego dawnego chłopaka, ale przepaść, do której dobrowolnie się zbliżam, przepaść, przed którą się nie cofnę. W ułamku sekundy pojmuję, że bezsenne noce staną się nie do zniesienia, bo pojawił się poważny problem: zakochałam się.

W mojej głowie zapala się czerwona lampka.

Tłumaczę sobie, że jestem naiwna. Przecież on chce zaciągnąć mnie do łóżka. Nie zależy mu na moim szczęściu.

Decyduję się na samobójczy krok. Kto wie, może pójście do łóżka z facetem, który w czasach szkolnych dotknął moich piersi, uzdrowi moje małżeństwo? Wczoraj to się sprawdziło. Po porannym seksie oralnym miałam kilka orgazmów w nocy.

Próbuję wrócić do tematu Saturna, ale Jakub prosi o rachunek, jednocześnie odbierając telefon. Mówi, że spóźni się pięć minut.

– Proszę o kawę i wodę mineralną.

Pytam, z kim rozmawiał. Mówi, że z żoną. Dyrektor dużej firmy farmaceutycznej chce się z nim zobaczyć i być może zainwestować w ostatni etap jego kampanii wyborczej do Rady Federalnej. Zbliża się termin wyborów.

Przypominam sobie, że Jakub jest żonaty, nieszczęśliwy i nie może robić niczego, na co ma ochotę. Krążą plotki, że jego małżeństwo jest związkiem otwartym. Powinnam zgasić iskrę, która zapłonęła o godzinie 13:55. Jakub chce mnie tylko wykorzystać.

Nie przeszkadza mi to, o ile będziemy grać w otwarte karty. Ja też mam ochotę z kimś się przespać.

•

Wychodzimy z restauracji i stajemy na chodniku przed wejściem. Jakub rozgląda się, czy ktoś nas nie widzi.

Upewniwszy się, że nikogo nie ma, zapala papierosa. A więc tego się bał – że przyłapią go na paleniu.

– Pewnie pamiętasz, że w szkole wróżono mi wielką karierę. Musiałem wszystkim udowodnić, że mają rację. Człowiek bardzo potrzebuje miłości i akceptacji. Dla nauki i pochwał rezygnowałem ze spotkań z przyjaciółmi. Liceum skończyłem z najlepszymi ocenami. Właściwie dlaczego przestaliśmy ze sobą chodzić?

Jeśli Jakub nie pamięta, to tym bardziej ja. W tamtych czasach wszyscy się nawzajem podrywali i każdy chodził z każdym.

– Skończyłem studia, zostałem obrońcą z urzędu. Spotykałem bandytów i ofiary, kanalie i uczciwych ludzi. To miała być praca na parę miesięcy, ale okazała się wyborem na całe życie. Zacząłem pomagać innym. Moja teczka z aktami klientów pęczniała, stałem się sławny. Ojciec namawiał mnie, żebym to rzucił i poszedł do pracy w kancelarii adwokackiej, którą prowadził jego przyjaciel. Ale ja cieszyłem się każdą wygraną sprawą, mimo że często musiałem borykać się z archaicznymi przepisami, które nie pasowały do współczesnych realiów. Trzeba było wprowadzić wiele zmian w zarządzaniu miastem.

Wszystko to mogłam przeczytać w jego oficjalnej biografii, ale w jego ustach brzmiało jakoś inaczej.

– W końcu postanowiłem kandydować do parlamentu. Ojciec był przeciwny, więc zrobiliśmy kampanię prawie bez pieniędzy. Poparli mnie moi klienci. Zostałem wybrany minimalną różnicą głosów, ale udało się.

Jakub ponownie rozgląda się i chowa papierosa za plecami. Widząc, że nikogo nie ma, znów się zaciąga. Patrzy gdzieś w dal, wspominając przeszłość.

– Kiedy zająłem się polityką, spałem po pięć godzin dziennie, ale rozsadzała mnie energia. Teraz mam ochotę spać osiemnaście godzin. Mój miodowy miesiąc na ziemi dobiegł końca. Została mi tylko ta sama potrzeba zadowalania innych, a szczególnie mojej żony, która zatraca się w walce o moją świetlaną przyszłość. Marianne wiele dla mnie poświęciła i nie mogę jej zawieść.

Czy to ten sam mężczyzna, który parę minut temu zaproponował mi kolejne spotkanie? A może Jakub po prostu chce z kimś porozmawiać, szuka bratniej duszy, która go zrozumie, bo przeżywa to samo?

Mam dar fantazjowania. Przez chwilę wyobrażam sobie, że leżymy w jedwabnej pościeli, w jakimś alpejskim domku.

– Kiedy się zobaczymy?

Niech sam zdecyduje.

Jakub proponuje spotkanie za dwa dni. Mówię, że mam zajęcia jogi. Prosi, żebym z nich zrezygnowała. Odmawiam. Ciągle opuszczam zajęcia, dlatego ostatnio obiecałam sobie, że będę bardziej zdyscyplinowana.

Jakub wygląda na zrezygnowanego. Kusi mnie, żeby zgodzić się na spotkanie, ale nie wypada mi okazywać zbyt wielkiego zainteresowania.

Życie nabiera smaku. Dawną apatię zastępuje strach. Co za radość bać się, że nie wykorzystam sytuacji!

Powtarzam, że to niemożliwe i proponuję piątek. Jakub zgadza się, dzwoni do asystenta i prosi o zapisanie w terminarzu naszego spotkania. Dopala papierosa i żegnamy się. Nie pytam, dlaczego opowiedział mi tyle o swoim prywatnym życiu. Zresztą po wyjściu z restauracji nie dorzucił nic istotnego.

Chciałabym wierzyć, że po naszym obiedzie coś się zmieni. Ale przecież to jedno z setek spotkań, jakie do tej pory odbyłam w związku z wykonywaną pracą. Kolejny obiad z niezdrowym jedzeniem i alkoholem, którego nikt nie ma ochoty pić. W rezultacie spotkanie kończy się kawą przy prawie pełnej butelce wina. W takich sytuacjach ani na moment nie można stracić czujności.

Trzeba wszystkich zadowolić. Powrót Saturna.

A więc nie jestem sama.

W pracy dziennikarza nie ma nic ekscytującego, chociaż ludziom wydaje się, że robimy wywiady z gwiazdami, odbywamy wspaniałe podróże, mamy kontakty z bogatymi, wpływowymi osobistościami i poznajemy fascynujący świat niedostępny dla ogółu.

W rzeczywistości większość czasu spędzamy przy komputerze, w biurowych boksach ze sklejki, z telefonem komórkowym przyklejonym do ucha. Na chwilę prywatności mogą pozwolić sobie jedynie szefowie. Raz na jakiś czas spuszczają żaluzje w swoich przeszklonych gabinetach, nie przestając kontrolować tego, co dzieje się na zewnątrz. My natomiast nie mamy nawet szansy śledzić ruchu ich warg, tak jak to robimy, kiedy obserwujemy rybki w akwarium.

Bycie dziennikarzem w Genewie, mieście liczącym 195 tysięcy mieszkańców, to najnudniejsze zajęcie na świecie. Przeglądam dzisiejszy numer, chociaż z góry wiem, co w nim znajdę – informacje o niekończących się spotkaniach dygnitarzy z obcych państw w siedzibie Organizacji Narodów Zjednoczonych, krytyczny artykuł o łamaniu tajemnicy bankowej i inne tematy godne pierwszej strony: „Chorobliwie otyły nie może wejść do samolotu", „Wilk zagryzł owce na obrzeżach miasta", „Znaleziska z epoki prekolumbijskiej w mieście Saint--Georges" albo wielkimi literami „Statek «Genewa» w pełnej krasie wraca na jezioro".

Wołają mnie do jednego z działów redakcji. Pytają, czy dowiedziałam się czegoś szczególnego podczas obiadu z politykiem. Mogłam przewidzieć, że ktoś nas zobaczy.

Odpowiadam, że nie. Powiedział to samo, co można przeczytać w jego oficjalnej biografii. Obiad miał mi jedynie pomóc zbliżyć się do „źródła", jak nazywamy ludzi przekazujących ważne informacje. (Im większą masz sieć „źródeł", tym bardziej jesteś poważany jako dziennikarz.)

Redaktor naczelny otrzymał informację ze swojego „źródła", że Jakub König ma romans z żoną innego polityka. Czuję ukłucie głęboko w ciemnym zakamarku duszy, gdzie zalęgła się moja wypierana przez świadomość depresja.

Pytają, czy mogłabym bardziej się do niego zbliżyć. Nie interesują ich jego romanse, ale „źródło" sugeruje, że König może być szantażowany. Przedstawiciele zagranicznego konsorcjum metalurgicznego chcą zatuszować nadużycia podatkowe, jakich dopuścili się w swoim kraju i szukają dojścia do ministra finansów. Potrzebują „wtyczki", kogoś, kto im pomoże.

Naczelny tłumaczy, że naszym celem nie jest deputowany Jakub König, ale ludzie, którzy nakłaniają do korupcji i próbują zniszczyć nasz system polityczny.

– To nie będzie trudne. Wystarczy powiedzieć, że jesteśmy po jego stronie.

Szwajcaria nadal jest krajem, w którym dane słowo wystarczy. W innym miejscu na świecie potrzebni byliby adwokaci, świadkowie, podpisanie dokumentów i groźba procesu w razie, gdyby jedna ze stron nie dotrzymała umowy.

– Potrzebujemy tylko potwierdzenia informacji i zdjęć.

W takim razie rzeczywiście muszę się do niego bardziej zbliżyć.

– To chyba nie będzie trudne. Nasze „źródło"

poinformowało nas, że jesteście umówieni na piątek. Data spotkania zapisana jest w jego oficjalnym terminarzu.

I to ma być kraj, w którym sekrety banku są świętością? Okazuje się, że wszyscy wszystko wiedzą.

– Rób to, co zwykle.

„Rób to, co zwykle" oznacza zrealizowanie czterech punktów. Po pierwsze, pytać o rzeczy, o których dana osoba chce mówić publicznie. Po drugie, pozwolić jej mówić jak najdłużej, bo wtedy uwierzy, że gazeta zamierza poświęcić jej długi artykuł. Po trzecie, na koniec wywiadu, kiedy osoba uzna, że ma nas w garści, należy zadać najważniejsze pytanie. Rozmówca przestraszy się, że jeśli nie odpowie, nie opublikujemy artykułu i cały jego wysiłek pójdzie na marne. Po czwarte, jeśli odpowiedź będzie zbyt ogólnikowa, trzeba powtórzyć pytanie, nieznacznie je zmieniając. Rozmówca może odpowiedzieć, że to nie nasza sprawa. Mimo wszystko nie wolno odpuszczać, trzeba wydobyć z niego choćby *jedną* deklarację. Na 99 procent wpadnie w pułapkę.

To wystarczy. Reszta wywiadu ląduje w koszu. Wykorzystujemy jedynie deklarację rozmówcy i piszemy tekst na temat, który nas interesuje, używając dziennikarskich sztuczek, wykorzystując dostępne informacje, oficjalne dane, anonimowe „źródła" i inne materiały.

– Jeżeli będzie wymigiwał się od odpowiedzi, przypomnij, że jesteśmy po jego stronie. Wiesz, na czym polega praca dziennikarza, a my na pewno to docenimy...

Wiem, na czym polega praca dziennikarza. Jest równie krótka jak kariera sportowca. Kiedy wreszcie przychodzą sława i pieniądze, trzeba zrobić miejsce dla młodszych. Niewielu dziennikarzom udaje się wytrwać w zawodzie i rozwijać. Tym, którzy tego nie potrafią, wali się cały świat. Zaczynają pisać blogi, jeżdżą z prelekcjami i spędzają zbyt wiele czasu, próbując zaimponować znajomym. Dla dziennikarza nie ma stanu przejściowego.

Ja jestem wciąż w fazie „obiecującej kariery". Jeśli spełnię oczekiwania, być może w przyszłym roku nie usłyszę od szefa: „Musimy ciąć koszty. Masz talent i nazwisko, na pewno znajdziesz sobie pracę".

Ciekawe, czy dostanę awans. Czy będę mogła decydować, co umieścić na pierwszej stronie: informację o grasującym wilku, który pożera owce, o ucieczce zagranicznych bankierów do Dubaju i Singapuru, a może artykuł o niewytłumaczalnym braku mieszkań pod wynajem. Niezły sposób na spędzenie najbliższych pięciu lat życia...

Wracam do mojego biurka, wykonuję kilka mało ważnych telefonów i czytam co ciekawsze artykuły w internecie. Siedzący obok koledzy i koleżanki robią to samo. Każdy szuka informacji, dzięki której redakcja zatrzyma spadek popularności gazety. Ktoś mówi, że na trasie pociągu z Genewy do Zurichu pojawiły się dziki. Czy to nadaje się na materiał?

Oczywiście! Podobnie jak skarga osiemdziesięcioletniej kobiety, która zadzwoniła do mnie oburzona, że w barach zabrania się palenia papierosów. Latem nie ma problemu, ale zimą więcej ludzi umiera na gruźlicę niż na raka płuc, ponieważ każe im się palić na zewnątrz.

Co my właściwie robimy w redakcji tej codziennej gazety?

Już wiem: kochamy naszą pracę i jesteśmy tu, żeby zbawić świat.

Siedzę w pozycji lotosu, obok pali się kadzidełko, w tle gra muzyka podobna do tej, jaką często słyszy się w windzie. Zaczynam „medytację", którą wszyscy tak mi polecali. Znajomi twierdzą, że jestem „zestresowana". (To prawda, ale wolę ten stan od całkowitej obojętności.)

– Będą wam przychodzić do głowy różne dziwne myśli. Nie przejmujcie się. Akceptujcie je i nie walczcie z nimi.

Świetnie. Postępuję zgodnie ze wskazówkami. Odrzucam toksyczne uczucia: dumę, rozczarowanie, zazdrość, niewdzięczność, przekonanie, że nie jestem nikomu potrzebna. Wolną przestrzeń wypełniają: pokora, wdzięczność, zrozumienie, samoświadomość i życzliwość.

Przychodzi mi na myśl, że jem za dużo cukru, a to źle wpływa na zdrowie i stan ducha.

Odrzucam ciemność i rozpacz, pragnę dobra i światła.

Wspominam każdy moment obiadu z Jakubem.

Wraz z innymi uczestnikami zajęć powtarzam mantrę.

Zastanawiam się, czy redaktor naczelny mówił prawdę. Czy rzeczywiście Jakub zdradził żonę i uległ szantażowi?

Instruktorka każe nam wyobrazić sobie, że chroni nas świetlista zbroja.

– Powinniśmy przeżywać każdy dzień, pamiętając, że ta zbroja chroni nas przed niebezpieczeństwami i pozwala pokonać dwoistość ludzkiej natury. Szukamy drogi kompromisu, gdzie nie ma radości ani smutku, tylko głęboki spokój.

Teraz rozumiem, dlaczego tak często opuszczam zajęcia jogi. Dwoistość ludzkiej natury? Droga kompromisu? To równie sztuczne jak pilnowanie, żeby poziom cholesterolu nie skoczył powyżej siedemdziesięciu, czego domaga się mój lekarz.

Po kilku sekundach obraz świetlistej zbroi rozpada się na drobne kawałki. Jestem pewna, że Jakub nie oprze się żadnej pięknej kobiecie, którą spotka na swojej drodze. A właściwie co mi do tego?

Kolejne ćwiczenie. Zmieniamy pozycję. Instruktorka przypomina, że podczas zajęć przynajmniej raz powinniśmy spróbować „oczyścić umysł".

Tego najbardziej się boję – pustki, która coraz bardziej wypełnia moje życie. Gdyby instruktorka wiedziała, o co mnie prosi... Cóż, nie będę kwestionować znanej od wieków techniki medytacji.

Co ja właściwie tu robię?

Aha, „relaksuję się".

Znowu budzę się w środku nocy. Idę do dzieci i sprawdzam, czy wszystko w porządku. To obsesja typowa dla wielu rodziców. Wracam do łóżka i patrzę w sufit.

Nie mam odwagi powiedzieć sobie, czego właściwie chcę. Dlaczego raz na zawsze nie skończę z jogą? Dlaczego nie pójdę do psychiatry, żeby zapisał mi magiczne pigułki? Dlaczego wbrew sobie wciąż myślę o Jakubie? Podczas naszej rozmowy miałam wrażenie, że oczekuje czegoś więcej niż rozmów o Saturnie i rozczarowaniu, z którym każdy dorosły, prędzej czy później, musi się zmierzyć.

Nie wytrzymam tego. Moje życie przypomina film, który zatrzymał się na jednej, powtarzanej w nieskończoność scenie.

Podczas studiów dziennikarskich miałam zajęcia z psychologii. Na jednym z wykładów profesor (interesujący zarówno na zajęciach, jak i w łóżku) powiedział, że osoba udzielająca wywiadu przechodzi przez pięć etapów: obronę, idealizację własnej osoby, manifestowanie pewności siebie, rachunek sumienia i skruchę.

Ja przeszłam od razu od pewności siebie do rachunku sumienia. Zaczynam rozmyślać o sprawach, o których lepiej byłoby nie myśleć.

Na przykład dochodzę do wniosku, że świat stanął w miejscu. Nie tylko mój, ale wszystkich otaczających mnie ludzi. Podczas towarzyskich spotkań rozmawiamy na te same tematy i o tych samych osobach. Wydaje się, że mówimy coś nowego, ale tak naprawdę tracimy czas i energię. Udajemy, że życie nadal jest interesujące.

Każdy próbuje zapanować nad własną rozpaczą. Nie tylko Jakub i ja, ale także mój mąż. Tylko on tego nie okazuje.

Na niebezpiecznym etapie rachunku sumienia, na jakim obecnie się znajduję, wszystko staje się jasne. Odkrywam, że nie jestem osamotniona. Otaczający mnie ludzie przeżywają podobne dramaty, chociaż udają, że ich życie toczy się jak dawniej i robią to, co zwykle. Tak zachowuje się mój sąsiad, mój szef i mężczyzna, z którym dzielę łóżko.

W pewnym wieku nakładamy maskę, która daje nam poczucie bezpieczeństwa i pewność siebie. Po jakimś czasie maska zrasta się z twarzą i nie sposób jej oderwać.

Kiedy w dzieciństwie wybuchaliśmy płaczem, natychmiast ktoś nas pocieszał. W chwilach smutku mogliśmy liczyć na wsparcie. A gdy nie udawało się zdobyć czegoś uśmiechem, skuteczne okazywały się łzy.

Z czasem przestaliśmy płakać, chyba że w łazience, kiedy nikt nas nie słyszy. Uśmiechem obdarzamy tylko nasze dzieci. Nie okazujemy uczuć w obawie, że ktoś uzna to za słabość i wykorzysta przeciw nam.

Najlepszym lekarstwem jest sen.

Umówionego dnia spotykam się z Jakubem. Tym razem ja wybieram miejsce – piękny choć zapuszczony Parc des Eaux-Vives, gdzie znajduje się kolejna kiepska restauracja utrzymywana z dotacji miasta. Byłam tu na obiedzie z korespondentem „Financial Times". Zamówiliśmy martini, a kelner przyniósł nam cinzano.

Tym razem nie jemy obiadu. Siadamy na zewnątrz i prosimy o kanapki. Jakub może zapalić, cieszymy oczy widokiem i obserwujemy, co się wokół dzieje. Postanawiam szczerze z nim porozmawiać. Po wymianie uprzejmości („jak minął czas", „co w pracy", „jak było na dyskotece", „wybieram się jutro") pytam wprost, czy jest szantażowany z powodu romansu.

Nie okazuje zdziwienia. Pyta jedynie, czy rozmawia z dziennikarką, czy ze znajomą.

Teraz jestem dziennikarką. Jeśli się przyzna, obiecuję, że moja gazeta udzieli mu pełnego wsparcia. Nie opublikujemy żadnych materiałów na temat jego życia osobistego i ruszymy tropem szantażystów.

– To prawda, miałem romans z żoną kolegi. Jako dziennikarka pewnie o tym wiesz. Zresztą to on nas sprowokował, przeżywali z żoną kryzys.

Mąż zachęcał żonę do zdrady? Nie rozumiem, ale kiwam głową. Po chwili przypominam sobie upojną noc sprzed trzech dni, kiedy miałam kilka orgazmów.

Nadal ma romans?

– Przestało nas to podniecać. Moja żona o wszystkim się dowiedziała. Pewnych rzeczy nie da się ukryć. Sfotografowali nas Nigeryjczycy i teraz mnie szantażują. Grożą, że udostępnią zdjęcia, ale to nic nowego.

A więc fabryka metalurgiczna znajduje się w Nigerii. Żona nie zagroziła rozwodem?

– Przez kilka dni była wściekła, ale jej minęło. Ma wobec nas wielkie plany i jak widać problem wierności nie jest dla niej najważniejszy. Była trochę zazdrosna, ale myślę, że udawała gniew, żeby zachować pozory. Jest kiepską aktorką. Po kilku godzinach od mojego wyznania mówiła już o czymś innym.

Nasze światy bardzo się od siebie różnią. W jego świecie kobiety nie są zazdrosne, a mężowie zachęcają żony do zdrady. Może coś mnie w życiu ominęło?

– Czas zwykle leczy rany, prawda?

To zależy. Bywa, że czas jątrzy rany. Tak jest właśnie ze mną. Ale to ja przyszłam tu zrobić wywiad z Jakubem, a nie odwrotnie. Nie odpowiadam na pytanie.

– Nigeryjczycy nic nie wiedzą – ciągnie Jakub. – Skontaktowałem się z ministerstwem finansów. Zastawimy na nich pułapkę i wszystko nagramy. Zrobimy dokładnie to, co oni zrobili ze mną.

Mogę pożegnać się z materiałem dziennikarskim, który pozwoliłby mi przetrwać w podupadającej branży. Jakub nie ma nic ciekawego do powiedzenia – w łeb bierze historia zdrady, szantażu i korupcji. Jak przystało na Szwajcarię, zwyciężyły klasa i perfekcjonizm.

– To wszystko, co chcesz wiedzieć? Możemy zmienić temat?

Tak, oczywiście, chociaż nic mi nie przychodzi do głowy.

– Nie chcesz wiedzieć, dlaczego chciałem się z tobą znowu zobaczyć i dlaczego pytałem, czy jesteś szczęśliwa? Chyba widzisz, że nie interesujesz mnie jako kobieta. Nie bądźmy dziećmi. Przyznaję, że zaskoczyłaś mnie wtedy w gabinecie. Było wspaniale, ale nie dlatego

chciałem się z tobą znowu spotkać. Zresztą nie moglibyśmy tego powtórzyć w miejscu publicznym. Chcesz
wiedzieć, dlaczego zależało mi na spotkaniu?

Kolejna niespodzianka. Po nieoczekiwanym pyta-
niu, czy jestem szczęśliwa, znów zaskoczenie, jakby ktoś
oślepił mnie błyskotką wyjętą z pudełka. Czy on nie
rozumie, że nie wypada zadawać takich pytań?

Jeśli chce mi powiedzieć, to bardzo proszę. Mówię
pewnym głosem, żeby go sprowokować. Może w ten
sposób odbiorę mu tę pewność siebie, która tak mnie
peszy.

Teraz jestem prawie pewna, że chce mnie zaciągnąć
do łóżka. Nie on pierwszy. Jemu też odmówię.

Jakub kręci głową. Udaję spokój i mimochodem
zauważam, że na gładkim zazwyczaj jeziorze pojawiły
się fale. Patrzymy na taflę wody, jakby działo się tam coś
ciekawego.

– Pytałem, czy jesteś szczęśliwa, bo patrząc na ciebie,
widzę siebie. Podobieństwa się przyciągają. Być może nie
zauważyłaś, jacy jesteśmy do siebie podobni. Nieważne. Rozumiem, że czujesz się wyczerpana psychicznie.
Wydaje ci się, że twoje wydumane problemy – przyznaj,
że są wydumane – pozbawiają cię życiowej energii.

To samo pomyślałam podczas naszego obiadu – cierpiące dusze zawsze się odnajdą i zjednoczą, żeby stra-
szyć żywych.

– Czuję to samo – przekonuje Jakub. – Z tą różnicą,
że moje problemy są rzeczywiste. Zaczynam siebie nie-
nawidzić za to, że nie umiem ich rozwiązać, a moje życie
zależy od tylu osób. Czuję się niepotrzebny. Chciałem
iść do lekarza, ale żona mi zabroniła. Powiedziała, że
odkryje to prasa i zrujnuję sobie karierę. Miała rację.

Rozmawia o takich rzeczach ze swoją żoną? Dziś wieczorem powiem o moich problemach mężowi. Zamiast
iść do dyskoteki, usiądę i otworzę przed nim duszę.
Ciekawe, jak zareaguje.

– Popełniłem wiele błędów. Teraz próbuję inaczej

spojrzeć na świat, ale nie potrafię. Kiedy spotykam kogoś takiego jak ty, a wierz mi, że wielu ludzi jest w podobnej sytuacji, próbuję zbliżyć się do niego i zrozumieć, jak sobie radzi. To jedyny sposób, żeby sobie pomóc.

A więc o to chodzi. Nie o seks, romantyczne szaleństwo, które rozjaśni szare niebo nad Genewą. Chodzi o terapię, wsparcie, coś na kształt spotkań anonimowych alkoholików albo narkomanów.

Wstaję.

Patrzę mu w oczy i mówię, że jestem zadowolona z życia. Radzę, żeby poszedł do psychiatry. Nie może pozwolić, żeby żona go kontrolowała. Nikt się nie dowie o leczeniu, ponieważ lekarza obowiązuje tajemnica zawodowa. Mojej przyjaciółce pomogły leki. Jeśli Jakub chce spędzić resztę życia, walcząc z widmem depresji, to po co w ogóle startuje w wyborach? Czy tak wyobraża sobie swoją przyszłość?

Jakub nerwowo rozgląda się i sprawdza, czy nikt nas nie słyszy. Już to zrobiłam, wiem, że jesteśmy sami. Tylko na wzniesieniu za restauracją siedzi grupa dealerów. Na pewno nie zamierzają nam przeszkadzać.

Mówię dalej, nie mogę się powstrzymać. W miarę, jak się rozkręcam, zdaję sobie sprawę, że tyradę kieruję do siebie, że tak naprawdę sobie chcę pomóc. Tłumaczę, że negatywna postawa wobec świata jedynie pogłębia problem. Radzę, żeby Jakub znalazł coś, co da mu odrobinę radości. Może żaglówka, kino, albo książka.

– Nie o to chodzi. Ty nic nie rozumiesz – odpowiada urażony.

Rozumiem. Każdego dnia docierają do nas tysiące informacji. Wielkie plakaty z umalowanymi nastolatkami, które udają kobiety i oferują cudowne kosmetyki, eliksiry młodości. Wiadomość, że stare małżeństwo zdobyło Mount Everest, aby uczcić rocznicę ślubu. Nowe urządzenia do masażu ciała. Apteki pełne preparatów wspomagających odchudzanie. Filmy rozpowszechniające nieprawdziwy obraz życia. Poradniki, które obiecują cuda. Specjaliści doradzający, jak zrobić karierę i odnaleźć wewnętrzny spokój. To wszystko sprawia, że czujemy się starzy, a nasze życie wydaje się szare. Skóra nam wiotczeje, przybywa kilogramów. Musimy tłumić uczucia i pragnienia, ponieważ nie pasują do obrazu „dorosłego" człowieka.

Wybieraj istotne informacje, mówię. Załóż filtr na oczy i uszy. Pilnuj, żeby docierały do ciebie wiadomości, które cię nie przygnębiają. Masz wystarczająco dużo trudnych spraw na co dzień. Myślisz, że mnie nikt nie ocenia ani nie krytykuje w pracy? Mylisz się. Tylko że ja postanowiłam słuchać jedynie tych opinii, które mnie motywują i pomagają naprawić błędy. Co do reszty, udaję, że nie słyszę albo po prostu wyrzucam komunikat z pamięci.

Przyszłam, żeby wysłuchać historii o zdradzie, szantażu i korupcji, a okazuje się, że ty ze wszystkim świetnie sobie poradziłeś. Nie widzisz tego?

Niewiele myśląc, siadam obok Jakuba, biorę w dłonie jego twarz i całuję go w usta. Jest zaskoczony, ale po chwili odpowiada namiętnym pocałunkiem. W ułamku sekundy przygnębienie, słabość, poczucie klęski i niepewność zastępuje euforia. A ja nagle zmieniam się w mądrą kobietę, odzyskuję kontrolę nad otoczeniem i realizuję marzenia, których przez lata nie miałam odwagi spełnić. Odkrywam nieznane lądy i wypływam na niebezpieczne wody, burzę piramidy i wznoszę świątynie.

Odzyskałam władzę nad własnymi myślami i czynami. To, co jeszcze rano wydawało się niemożliwe, po południu staje się realne. Czuję, mogę kochać kogoś, kogo nie powinnam. Nieprzyjemny wiatr jest jak błogosławieństwo, delikatny dotyk boskiej dłoni na mojej twarzy. Znów chce mi się żyć.

Mam wrażenie, że nasz pocałunek trwa wieczność. Powoli odsuwamy się od siebie. Jakub delikatnie gładzi mnie po głowie. Patrzymy sobie głęboko w oczy.

I wracamy do tego, co było przedtem.

Do smutku.

Rozpacz popchnęła mnie do głupiego, nierozsądnego zachowania, które wszystko skomplikuje – przynajmniej w moim przypadku.

Spędzamy razem jeszcze pół godziny. Jak gdyby nigdy nic zaczynamy rozmawiać o mieście i jego mieszkańcach. Kiedy przyszliśmy do parku, wydawaliśmy się sobie bardzo bliscy. W chwili pocałunku byliśmy jednością, a teraz zachowujemy się jak dwoje obcych sobie ludzi, którzy próbują podtrzymać rozmowę, żeby odzyskać równowagę i za chwilę wrócą do swoich codziennych spraw.

Nie siedzimy w restauracji, nikt nas nie widział. Nasze małżeństwa nie rozpadną się z hukiem.

Mam ochotę przeprosić Jakuba, ale chyba nie muszę. Przecież to był tylko pocałunek.

Nie czuję smaku zwycięstwa, ale przynajmniej odzyskałam kontrolę nad moim życiem. W domu wszystko po staremu. Byłam smutna, teraz jestem w lepszym nastroju. Nikt o nic nie pyta.

Pójdę za przykładem Jakuba i porozmawiam z mężem o moim stanie. Ufam mu i jestem przekonana, że mi pomoże.

Z drugiej strony nie warto psuć tego wspaniałego dnia. Nie chcę go zniszczyć rozmową o rzeczach, których sama jeszcze nie rozumiem. Jestem rozdarta, ale przynajmniej wiem, że mój obecny stan nie ma nic wspólnego z brakiem kilku pierwiastków chemicznych w organizmie. Przeczytałam o tym w internecie, w artykule o „chronicznym smutku".

Dziś nie jestem smutna. W życiu miewamy różne nastroje. Pamiętam, jak po maturze zorganizowaliśmy klasowe spotkanie. Przez dwie godziny było dużo śmiechu, a na koniec wszyscy rozpłakaliśmy się – doszło do nas, że więcej się nie zobaczymy. Chodziłam smutna przez kilka dni, a może tygodni – nie pamiętam. To najlepszy dowód, że dawne emocje bezpowrotnie minęły. Przekroczenie trzydziestki to trudny moment i być może nie byłam na niego przygotowana.

Mąż idzie na górę położyć dzieci. Nalewam sobie kieliszek wina i idę do ogrodu.

Nadal wieje. Wszyscy mieszkańcy Genewy znają ten wiatr. Potrafi dmuchać przez trzy, sześć, a nawet dziewięć dni. We Francji, kraju bardziej romantycznym od Szwajcarii, nazywają go mistralem. Przynosi zmianę pogody, zapowiada słońce i chłód. Najwyższy czas, żeby się wypogodziło. Jutro będzie słoneczny dzień.

Wracam myślami do rozmowy w parku i do pocałunku. Nie czuję strachu. Zrobiłam coś, na co dotąd nigdy się nie zdecydowałam. Zabrałam się do burzenia otaczającego mnie muru.

Przestało mnie obchodzić, co pomyśli Jakub. Nie będę więcej tracić czasu na zastanawianie się, jak dogodzić innym.

Wypijam wino, napełniam znów kieliszek i rozkoszuję się swoim nowym stanem ducha. Po raz pierwszy od miesięcy nie czuję apatii, nie mam wrażenia, że jestem bezużyteczna.

Mąż schodzi na dół, gotowy do wyjścia. Pyta, ile potrzebuję czasu, żeby się przebrać. Zapomniałam, że dziś wieczorem mieliśmy iść do dyskoteki.

Biegnę do pokoju, żeby się przygotować.

Kiedy wracam na dół, jest już filipińska niania. Dzieci zasnęły, nie będzie z nimi problemu. Dziewczyna wykorzysta wolny czas, żeby się pouczyć. Mam wrażenie, że bardzo boi się telewizji.

Jesteśmy gotowi do wyjścia. Włożyłam najlepszą sukienkę, chociaż wiem, że w dyskotece, gdzie panuje luźna atmosfera, będę wyglądać jak lafirynda. Co z tego? Dzisiaj mam ochotę świętować.

Budzi mnie uderzający o szyby wiatr. Mąż nie domknął okna. Muszę wstać i spełnić nocny rytuał, sprawdzić, czy u dzieci wszystko w porządku.

Jednak coś nie pozwala mi podnieść się z łóżka. Może to wypity wczoraj alkohol? Przypomina mi się widok spokojnej tafli jeziora, pogodne niebo i mężczyzna, z którym byłam w parku. Z dyskoteki niewiele pamiętam. Nie podobała nam się muzyka ani nastrój. Pół godziny później wróciliśmy z mężem do domu, do naszych komputerów i tabletów.

A gdzie podziało się to wszystko, o czym wczoraj po południu mówiłam Jakubowi? Zapomniałam, że powinnam wreszcie zacząć myśleć o sobie?

Duszę się w tej sypialni. Mój idealny mąż śpi. Najwyraźniej wiatr go nie obudził. Myślę o Jakubie, który leży obok swojej żony i zwierza jej się ze swoich problemów (jestem pewna, że o mnie nie wspomni). Odczuje ulgę i radość, że w trudnych chwilach może na kogoś liczyć. Ja nie wierzę w jego opowieści. Gdyby mówił prawdę, dawno byłby po rozwodzie. Przecież nie mają nawet dzieci!

Zastanawiam się, czy mistral obudził Jakuba. Ciekawe, o czym rozmawiał z żoną, gdzie mieszka. To akurat łatwo będzie sprawdzić. W redakcji mam dostęp do różnych informacji. Zastanawiam się, czy w nocy kochał się z żoną i robił to czule, czy ona jęczała z rozkoszy.

Nadal nie mogę zrozumieć, jak mogłam się tak zachować. Oralny seks, racjonalne rady, pocałunek w parku. To do mnie nie pasuje. Mam wrażenie, jakbym w jego obecności stawała się inną kobietą.

Prowokuję go jak nastolatka. Mam w sobie niewzruszoną pewność skały i siłę wiatru, którego podmuchy poruszyły gładką taflę na Jeziorze Lemańskim. To dziwne, ale spotykając po latach kolegów ze szkoły, żywimy przekonanie, że nic się nie zmienili. A przecież dawny słabeusz mógł stać się siłaczem, piękna dziewczyna poślubić nieudacznika, a papużki nierozłączki rozstać się po latach.

Po pierwszych spotkaniach z Jakubem sama czuję się jak nastolatka. Jestem przekonana, że za złe zachowanie nie grozi mi kara. Znowu mam szesnaście lat i jeszcze nie przeżyłam powrotu Saturna, który każe mi dorosnąć.

Próbuję zasnąć, ale nie mogę. Przez kolejną godzinę intensywnie myślę o Jakubie. Przypomina mi się sąsiad pucujący samochód. Myślałam, że jego życie „nie ma sensu", bo trwoni czas na bezużyteczne czynności. Nieprawda. Na pewno robił to z przyjemnością, a przy okazji trochę poćwiczył. Wykonywanie prostych, codziennych czynności jest błogosławieństwem, a nie przekleństwem.

Tego właśnie mi trzeba, relaksu i korzystania z życia. Nie mogę zadręczać się myślami o Jakubie. Brak radości zastępuję tęsknotą za konkretnym mężczyzną, a przecież nie o to chodzi. Gdybym poszła do psychiatry, usłyszałabym, że problem leży gdzie indziej. Brak litu, za mało serotoniny i tym podobne. Nie zmieni tego pojawienie się ani odejście Jakuba.

Ale nie potrafię o nim zapomnieć. Dziesiątki razy odtwarzam w pamięci nasz pocałunek.

Łapię się na tym, że podświadomie z nieistniejących problemów tworzę rzeczywiste kłopoty. Zawsze to samo. Z tego właśnie biorą się choroby.

Nie chcę więcej widzieć tego człowieka. Przysłał go szatan, żeby jeszcze bardziej osłabić chwiejną konstrukcję. Jak mogłam tak szybko zakochać się w mężczyźnie, którego właściwie nie znam? A kto mówi, że jestem zakochana? Od wiosny przechodzę kryzys i tyle. Przedtem wszystko było w porządku, więc nic nie stoi na przeszkodzie, żeby moje życie wróciło na dawne tory.

Powtarzam sobie: to tylko stan przejściowy, nic więcej.

Nie powinnam koncentrować się na rzeczach, które mi szkodzą. Przecież to samo powiedziałam po południu Jakubowi.

Powinnam wziąć się w garść i przeczekać zły okres. Inaczej naprawdę się zakocham i na długo pozostanę w stanie zaślepienia, który ogarnął mnie podczas naszego pierwszego spotkania w restauracji. Jeśli na to pozwolę, nie będzie to już tylko mój osobisty dramat. Cierpienie i ból dotkną wszystkich.

Wiercę się w łóżku. Czas wlecze się niemiłosiernie. Kiedy wreszcie zapadam w sen, po chwili budzi mnie mąż. Świeci słońce, niebo jest bezchmurne, ale nadal wieje mistral.

– Czas na śniadanie. Zajmę się dziećmi.

A może raz zamienimy się rolami? Ty pójdziesz do kuchni, a ja przygotuję dzieciaki do szkoły.

– Rzucasz mi wyzwanie? Dobrze. Zobaczysz, zrobię ci takie śniadanie, jakiego jeszcze nie jadłaś.

To nie żaden pojedynek, tylko chęć przerwania rutyny. Przy okazji, masz jakieś zastrzeżenia do moich śniadań?

– Za wcześnie na kłótnie. Wczoraj za dużo wypiliśmy. Jesteśmy za starzy na dyskoteki. Proszę, zajmij się dziećmi.

Wychodzi, nie czekając na moją odpowiedź. Biorę komórkę i sprawdzam, jakie mam dzisiaj ważne sprawy do załatwienia. Im dłuższa lista, tym większa satysfakcja z pożytecznie spędzonego czasu. Zdarza mi się jednak mieć zaległe sprawy z poprzedniego dnia, a nawet tygodnia. Lista wydłuża się, a moja frustracja pogłębia. Wreszcie kasuję wszystko i zaczynam od nowa. Dopiero wtedy dociera do mnie, że ważne sprawy nie były aż tak ważne.

Na liście brakuje jednej rzeczy, którą koniecznie muszę załatwić – sprawdzić, gdzie mieszka Jakub König i znaleźć chwilę, żeby podjechać pod jego dom.

Kiedy schodzę na dół, na stole czeka idealne śniadanie – owocowa sałatka, oliwa z oliwek, sery, ciemny chleb, jogurt, suszone śliwki. Obok mojego talerza, po lewej stronie, leży najnowszy numer gazety, w której pracuję.

Mąż dawno przestał kupować papierowe gazety i czyta tylko wersje elektroniczne w swoim iPadzie. Starszy syn chce wiedzieć, co znaczy słowo „szantaż". Nie rozumiem, skąd to pytanie, lecz po chwili mój wzrok pada na pierwszą stronę gazety, na której widnieje wielkie zdjęcie Jakuba – pewnie jedno z wielu wysłanych do naszej redakcji. Ma poważną minę, wygląda na zamyślonego. Obok tłustym drukiem tytuł: „Deputowany przyznaje, że był szantażowany".

To nie jest mój artykuł. Kiedy wczoraj byłam poza redakcją, zadzwonił naczelny i powiedział, że mogę odwołać spotkanie z Jakubem – dostali informację z ministerstwa finansów, że urzędnicy zajęli się już sprawą. Wytłumaczyłam, że jestem po spotkaniu, wszystko poszło gładko i nie musiałam stosować „rutynowych metod". Szef natychmiast wysłał mnie do sąsiedniej dzielnicy (która uważana jest za oddzielne miasteczko, ponieważ ma własną prefekturę) i kazał zająć się protestem wywołanym zamknięciem lokalnego sklepu spożywczego. Właścicielowi zarzucono sprzedaż przeterminowanej żywności. Zrobiłam wywiad z właścicielem sklepu, sąsiadami i znajomymi sąsiadów. Jestem przekonana, że ta sprawa bardziej zainteresuje czytelników niż oświadczenia jakiegoś polityka. Zresztą mój temat i tak znalazł się na pierwszej stronie, chociaż nieco niżej. Tytuł: „Kara dla właściciela sklepu z powodu przeterminowanej żywności. Brak doniesień o ofiarach".

Zdjęcie Jakuba przy śniadaniu nie daje mi spokoju.

Mówię mężowi, że wieczorem musimy porozmawiać.

– Podrzucimy dzieci mojej mamie i pójdziemy do restauracji – proponuje. – Ja też chcę spędzić z tobą trochę czasu. Sam na sam, bez tej strasznej muzyki. Nie rozumiem, dlaczego dyskoteki są takie popularne.

Był wiosenny poranek. Schowałam się w odległej części placu zabaw, gdzie nikt się nie zapuszczał. Wzrok utkwiłam w ceglanej ścianie szkoły. Czułam, że coś ze mną jest nie tak. Inne dzieci posądzały mnie o wywyższanie się, a ja nawet nie starałam się ich sobie zjednać. Wręcz przeciwnie. Prosiłam mamę, żeby kupowała mi drogie stroje i podwoziła pod szkołę swoim zagranicznym samochodem. Tak było do wiosennego poranka, kiedy zdałam sobie sprawę, że jestem całkiem sama i być może zostanie tak do końca moich dni. Miałam zaledwie osiem lat, ale wydawało mi się, że jest za późno na jakiekolwiek zmiany i nie warto przekonywać rówieśników, że jesteśmy do siebie podobni.

•

Było lato. Chodziłam wtedy do gimnazjum. Chłopcy mi dokuczali, dlatego trzymałam się od nich z daleka. Dziewczynki umierały z zazdrości, ale się do tego nie przyznawały. Każda chciała być moją przyjaciółką, żeby karmić się okruchami tego, co z wyższością odrzucałam.

Nikogo do siebie nie dopuszczałam. Byłam przekonana, że jeśli ktoś znajdzie się w moim świecie, głęboko się rozczaruje. Dlatego lepiej było nadal roztaczać aurę tajemniczości i dawać do zrozumienia, że korzystam z przywilejów, o jakich inni mogą tylko marzyć.

Któregoś dnia w drodze do domu zauważyłam kilka grzybów, które pojawiły się po deszczu. Rosły sobie spokojnie przy drodze. Nikt ich nie zrywał, bo były trujące. Przeszło mi przez myśl, że mogłabym je zjeść. Nie byłam smutna ani szczęśliwa. Chciałam tylko zwrócić uwagę rodziców.

W końcu ich nie zerwałam.

•

Dziś jest pierwszy dzień jesieni, najpiękniejszej pory roku. Niebawem liście zmienią kolor i każde drzewo będzie inne. W drodze na parking postanowiłam przejechać się ulicą, którą zazwyczaj omijam.

Zatrzymuję się przed moją dawną szkołą. Widzę te same cegły. Nic się nie zmieniło poza faktem, że nie jestem sama. Myślę o dwóch mężczyznach – jednym, z którym nigdy nie będę, i drugim, z którym umówiłam się na kolację w eleganckim, starannie wybranym lokalu.

Nad moją głową szybuje ptak, bawiąc się z wiatrem. Przelatuje z jednej strony na drugą, obniża lot. W jego ruchach jest jakaś niezrozumiała dla mnie logika. Chociaż może niepotrzebnie się jej dopatruję. Dla niego to pewnie tylko zabawa.

•

Nie jestem ptakiem. Nie potrafię spędzić życia na zabawie, chociaż mam przyjaciół biedniejszych ode mnie, którzy żyją od podróży do podróży, od jednej kolacji do drugiej. Próbowałam podobnie spędzać czas, ale długo nie wytrzymałam. Pracę w gazecie załatwił mi mój mąż. Mam posadę, jestem zajęta, czuję się potrzebna i dobrze wykorzystuję swój czas. Kiedyś dzieci będą ze mnie dumne, a sfrustrowane przyjaciółki ze szkoły będą mi zazdrościć, że potrafiłam coś stworzyć, podczas gdy one zajmowały się jedynie domem, potomstwem i mężem.

Nie wiem, czy inni też odczuwają taką wielką potrzebę imponowania bliźnim. Nie wypieram się tego, dobrze mi to robi, pcha naprzód. Muszę tylko unikać ryzyka i nie zmieniać mojego dotychczasowego życia.

Przychodzę do pracy i natychmiast zabieram się za przeszukiwanie dostępnych w sieci archiwów państwowych. W ciągu minuty znajduję adres Jakuba Königa, informacje o jego zarobkach, wykształceniu. Dowiaduję się, jak nazywa się jego żona i gdzie pracuje.

Mąż wybrał restaurację w połowie drogi między redakcją a naszym domem. Byliśmy tu kilka razy. Smaczne jedzenie, dobre wino, przyjemna atmosfera. Mimo to uważam, że najlepsza jest kuchnia domowa. Jadam w restauracjach tylko, kiedy muszę się z kimś spotkać. Uwielbiam gotować, uwielbiam spędzać czas z rodziną, wiedzieć, że daję im poczucie bezpieczeństwa i to samo otrzymuję w zamian.

Na liście spraw do załatwienia nie ma pozycji „przejechać obok domu Jakuba". Powstrzymałam się, żeby tego nie zapisać. Mam wystarczająco dużo urojonych problemów, żeby jeszcze dokładać do nich realny kłopot z nieodwzajemnioną miłością. Było, minęło i nigdy nie wróci. Przede mną świetlana przyszłość, spokój, nadzieja i stabilizacja.

– Podobno zmienił się właściciel i jedzenie nie jest takie jak dawniej – mówi mąż.

Nieważne. Jedzenie w restauracji zawsze smakuje tak samo. Dużo masła, dekoracje na talerzu, a do tego astronomiczne ceny nie odpowiadające ofercie. No cóż, mieszkamy w jednym z najdroższych miast świata.

Kolacja poza domem jest rodzajem rytuału. Kelner wita nas i prowadzi do naszego ulubionego stolika (chociaż dawno tu nie byliśmy). Pyta, czy życzymy sobie nasze ulubione wino (oczywiście, że tak) i przynosi kartę. Czytam menu od początku do końca i wybieram to, co zawsze. Mąż jak zwykle decyduje się na pieczoną jagnięcinę z soczewicą. Kelner poleca dania dnia. Grzecznie słuchamy, rzucamy jakieś miłe słowo i pozostajemy przy swoim.

•

Pierwszy kieliszek wina. Nie musimy go w skupieniu degustować. W końcu od dziesięciu lat jesteśmy małżeństwem, wiem, że szybko opróżnimy butelkę. Rozmawiamy o pracy, narzekamy na fachowca, który miał się zjawić, żeby sprawdzić ogrzewanie w domu, ale się nie zjawił.

– Jak przygotowania do niedzielnych wyborów? – pyta mąż.

Redakcja poleciła mi napisać artykuł na temat, który obecnie bardzo mnie interesuje: „Czy wyborcy mają prawo poznać życie prywatne kandydującego polityka?". Tekst ma nawiązywać do głównego tematu z dzisiejszego numeru. Chodzi o deputowanego szantażowanego przez Nigeryjczyków. Większość osób mówi to samo: „To nas nic nie obchodzi. Nie żyjemy w Stanach Zjednoczonych i jesteśmy z tego dumni".

Zmieniamy temat. Zaczynamy rozmawiać o nieistotnych rzeczach. Do 38 procent wzrosła liczba osób deklarujących udział w wyborach do Rady Federalnej. Pracownicy transportu publicznego w Genewie są zmęczeni, ale zadowoleni ze swojej pracy. Na przejściu dla pieszych potrącono kobietę. Zepsuty tramwaj na dwie godziny sparaliżował ruch w mieście. Same błahostki.

Nie czekając na przystawki, nalewam sobie drugi kieliszek wina. Nie pytam męża, jak minął dzień. On słucha grzecznie, nie przerywa. Pewnie zastanawia się, po co tu przyszliśmy.

Kelner przynosi jedzenie.

– Jesteś dziś w lepszym nastroju – zauważa mąż.

Nagle zdaję sobie sprawę, że mówię bez przerwy od dwudziestu minut.

– Coś się stało?

Gdyby zadał mi to pytanie po spotkaniu w Parc des Eaux-Vives, zarumieniłabym się, a potem jednym tchem wymieniłabym wymyślone naprędce powody mojego zachowania. Jednak mijający dzień niczym nie różnił się od innych, chociaż mogę sobie wmawiać, że każda chwila spędzona w redakcji ma wielkie znaczenie dla ludzkości.

– O czym chciałaś ze mną porozmawiać?

Sięgając po trzeci kieliszek, biorę głęboki oddech. Chcę mu o wszystkim powiedzieć. W ostatniej chwili zjawia się kelner i ratuje mnie przed skokiem w przepaść. Wymieniamy kilka bezsensownych uwag. Wśród nic nie znaczących uprzejmości tracę kolejne minuty życia na bezsensowne ceregiele.

Mąż zamawia następną butelkę wina. Kelner życzy nam smacznego i odchodzi. Zaczynam mówić.

Wspomniałeś, że potrzebuję lekarza, ale to nieprawda. Wywiązuję się ze wszystkich obowiązków w domu i pracy. Mimo to od jakiegoś czasu jestem przygnębiona.

– Miałem wrażenie, że jesteś dziś weselsza.

No tak. Wszyscy przyzwyczaili się do mojego smutku i przestali się przejmować zmiennymi humorami. Owszem, jestem zadowolona, bo mogę z kimś porozmawiać, ale to nie zmienia faktu, że ogólnie czuję przygnębienie. Źle sypiam, uważam, że jestem egoistką. Próbuję imponować ludziom, jakbym nadal była nastolatką. W łazience bez powodu wybucham płaczem. Tylko raz w ciągu ostatnich miesięcy kochałam się z tobą z przyjemnością. Początkowo myślałam, że to kryzys wieku średniego, ale to nie jest wystarczające wytłumaczenie. Czuję, że marnuję życie. Któregoś dnia spojrzę wstecz i będę przerażona podjętymi decyzjami. Oczywiście nie mówię o naszym małżeństwie i naszych wspaniałych dzieciach.

– To ci nie wystarcza?

Innym może tak, ale dla mnie to za mało. Jest coraz gorzej. Kiedy po całym dniu pracy wieczorem kładę się do łóżka, zaczynam niekończący się wewnętrzny dialog. Boję się zmian, a jednocześnie mam wielką ochotę przeżyć coś nowego. Powracają natrętne myśli, nad niczym nie panuję. Ty niczego nie widzisz, bo szybko zasypiasz. Nawet nie zauważyłeś, że wczoraj w nocy trzęsły się szyby, tak mocno wiało.

– Nie słyszałem, ale okna były zamknięte.

Sam widzisz. Od lat wieje mistral, a dopiero teraz zaczął budzić mnie w nocy. Słyszę, jak przewracasz się z boku na bok i mówisz przez sen. Proszę, nie bierz tego do siebie, ale czuję, jakby wokół mnie wszystko traciło sens. Wiem tylko, że kocham nasze dzieci. I ciebie. Lubię swoją pracę. Ale to jedynie pogłębia mój smutek. Czuję, że obrażam Boga, niesprawiedliwie oceniam swoje życie, krzywdzę was.

Mąż nie tknął jedzenia. Patrzy na mnie jak na obcą osobę. Mimo to czuję ulgę. Przynajmniej powiedziałam, co mi leży na sercu. Wino robi swoje. Nie jestem sama. Dziękuję, Jakubie Königu.

– Chcesz z tym iść do lekarza?

Nie wiem. Nawet gdybym musiała, i tak bym nie poszła. Sama powinnam rozwiązać swoje problemy.

– Domyślam się, jak ciężko jest tłumić te uczucia w sobie. Dziękuję, że mi powiedziałaś. Dlaczego tak późno?

Bo dopiero teraz nie jestem w stanie tego znieść. Dziś wspominałam dzieciństwo, szkołę. A może źródło kłopotów tkwi w przeszłości? Niemożliwe, chyba że przez te wszystkie lata tak skutecznie siebie oszukiwałam. Nie, to raczej mało prawdopodobne. Pochodzę z normalnej rodziny, odebrałam typowe wykształcenie, prowadzę spokojne życie. Co się ze mną dzieje?

Nie zwierzałam ci się, bo myślałam, że samo minie. Nie chciałam ciebie martwić.

65

Mam łzy w oczach.

– Nie bój się, nie zwariowałaś. Nie zachowujesz się jak wariatka, nie straciłaś na wadze. Jeśli potrafisz nad sobą zapanować, to znaczy, że nie jest źle.

Dlaczego wspomniał o mojej wadze?

– Poproszę mojego lekarza, żeby przepisał ci leki na sen. Powiem, że to dla mnie. Odpoczniesz i wrócisz do równowagi. Może powinniśmy więcej się ruszać? Dzieci będą zachwycone. Za dużo czasu spędzamy w pracy.

Wcale nie spędzam zbyt wiele czasu w pracy. Dzięki temu, że piszę artykuły, mam co robić i nie myślę o seksie.

– Musimy więcej ćwiczyć, przebywać na świeżym powietrzu, intensywnie biegać, wydawać w domu przyjęcia...

Tylko tego brakuje! Mam rozmawiać z ludźmi, zabawiać ich z przyklejonym do ust uśmiechem, wysłuchiwać ich opinii o operze, zakorkowanych ulicach, a potem jeszcze zmywać po nich naczynia.

– W weekend pojedziemy do parku Jura. Dawno tam nie byliśmy.

W weekend są wybory, mam dyżur w redakcji.

W ciszy kończymy posiłek. Kelner był już dwa razy, żeby sprawdzić, czy zjedliśmy. Szybko opróżniamy drugą butelkę wina. Wyobrażam sobie, co mój mąż teraz myśli: „Jak jej pomóc? Co mogę zrobić, żeby była szczęśliwa?". Nic. Niech robi to, co zwykle. Jeśli nagle przyjdzie z bombonierką albo bukietem kwiatów, jego niespodziewany przypływ uczuć tylko przyprawi mnie o mdłości.

Po kolacji decydujemy wspólnie, że mąż nie może prowadzić samochodu. Zostawimy wóz przed restauracją. Zabierzemy go jutro. Dzwonię do teściowej i pytam, czy dzieci mogą zostać u niej na noc. Przyjadę rano i odwiozę je do szkoły.

– Wytłumacz mi, czego ci właściwie brakuje.

Nie, tylko nie to. Odpowiedź jest jedna: niczego. Niczego! Chciałabym mieć poważne problemy. Nie znam nikogo, kto byłby w podobnym położeniu. Nawet moja przyjaciółka, która przez lata cierpiała na depresję, wreszcie zaczęła się leczyć. Ale ja nie potrzebuję terapii, nie mam symptomów, które mi opisała. Poza tym nie chcę uzależniać się od leków. A inni? Jednych zżera złość, innych stres, jeszcze inni cierpią z powodu nieszczęśliwej miłości. Rozpaczają i myślą, że potrzebna im pomoc lekarza, ale to nieprawda. Oni też nie potrzebują terapii, po prostu mają złamane serce. Ludzie zakochują się nieszczęśliwie od zarania dziejów, od chwili, gdy odkryli Miłość.

– Jeżeli nie chcesz iść do lekarza, może powinnaś o tym poczytać?

Już próbowałam. Godzinami przeglądałam strony internetowe poświęcone psychologii. Przykładałam się do zajęć z jogi. Nie zauważyłeś, że zmienił mi się gust i kupuję teraz inne książki? Na pewno myślałeś, że przechodzę duchową przemianę.

Nic z tych rzeczy! Bezskutecznie szukam odpowiedzi na dręczące mnie pytania. Przeczytałam dziesięć mądrych książek, ale one niczego nie zmieniły. Działały w trakcie lektury, ale traciły moc z chwilą, gdy je zamykałam. Zdania, słowa opisujące idealny świat, w którego istnienie nie wierzą nawet ich autorzy.

– A teraz, po kolacji, czujesz się lepiej?

Oczywiście, ale to nie wystarczy. Muszę zrozumieć, co się ze mną dzieje. Chodzi o to, kim jestem, a nie o sprawy zewnętrzne.

Widzę, jak bardzo mój mąż chce mi pomóc, ale on też jest zagubiony. Wypytuje mnie o symptomy, a przecież nie w tym rzecz. Ważny jest całokształt. Pytam, czy słyszał o pochłaniającej wszystko czarnej dziurze.

– Nie.

No właśnie.

Jest przekonany, że z tego wyjdę. Prosi, żebym siebie zbyt surowo nie oceniała ani nie obwiniała. On jest przy mnie.

– Na końcu tunelu jest światełko.

Chciałabym w to wierzyć, ale jestem realistką. Nie martw się, będę walczyć. Robię to od kilku miesięcy. Przeszłam niejedną trudną chwilę. Któregoś dnia obudzę się ze świadomością, że to był tylko zły sen. Jestem tego pewna.

Mąż prosi o rachunek, potem bierze mnie za rękę i idziemy do taksówki. A jednak coś zmieniło się na lepsze. Wiara w ludzi, których kochamy, zawsze pomaga.

Jakubie Königu, co robisz w moim pokoju, w moim łóżku, w moich snach? Powinieneś ciężko pracować. Za trzy dni wybory do Rady Federalnej, a ty straciłeś cenne godziny kampanii, jedząc ze mną obiad w La Perle du Lac i rozmawiając w Parc des Eaux-Vives.

Nie wystarczy ci? Co robisz w moich snach i koszmarach? Zrobiłam, co mi radziłeś – rozmawiałam z mężem i poczułam jego miłość. Po raz pierwszy od długiego czasu tej nocy kochaliśmy się namiętnie. Uwierzyłam, że w moim życiu znów pojawi się szczęście.

Proszę, zniknij z moich myśli. Jutro czeka mnie ciężki dzień. Muszę wcześnie wstać, zawieźć dzieci do szkoły, pójść na targ, znaleźć miejsce do parkowania, zastanowić się nad artykułem na mało oryginalny temat, jakim jest... polityka. Jakubie Königu, zostaw mnie w spokoju.

Jestem szczęśliwą mężatką. Pewnie nawet nie przypuszczasz, że tyle miejsca zajmujesz w moich myślach. Chciałabym, żeby ktoś usiadł obok mnie, opowiedział mi kilka historii z happy endem, a potem zaśpiewał kołysankę. Ale nikogo nie ma. Myślę tylko o tobie.

Zaczynam tracić nad sobą kontrolę. Nie widziałam cię od tygodnia, ale nie opuszczasz mnie na krok.

Jeśli nie znikniesz, będę zmuszona odwiedzić cię w domu, napić się herbaty z tobą i twoją żoną, zaakceptować fakt, że jesteście szczęśliwi, a ja nie mam szans. Będę musiała pogodzić się z myślą, że okłamałeś mnie, dopatrując się swojego odbicia w moich oczach, skrzywdziłeś, łaskawie zezwalając na mój spontaniczny pocałunek.

Mam nadzieję, że mnie zrozumiesz. Modlę się o to, bo ja sama nie potrafię odpowiedzieć sobie na pytanie, czego od ciebie oczekuję.

Wstaję i idę do komputera, żeby wyszukać frazę „jak uwieść mężczyznę". Zamiast tego wpisuję słowo „depresja". Muszę dokładnie wiedzieć, co się ze mną dzieje.

Wchodzę na stronę, której autorzy pomagają internaucie samodzielnie dokonać diagnozy. „Sprawdź, czy masz problemy psychiczne". Poniżej lista pytań. Na większość z nich odpowiadam przecząco.

Diagnoza: „Przechodzisz trudne chwile, ale nie masz klinicznej depresji. Nie potrzebujesz pomocy lekarza".

A nie mówiłam? Nie jestem chora. Wymyślam problemy, żeby przyciągnąć uwagę otoczenia, oszukać siebie, przerwać monotonię życia i poczuć dreszczyk emocji. Wreszcie mam jakiś problem, którym powinnam się zająć. Mogę spędzać czas, dni i godziny, poszukując rozwiązania.

Mąż miał rację. Trzeba będzie poprosić lekarza o środki nasenne, żebym wreszcie mogła się wyspać. Jestem zestresowana pracą, zbliżają się wybory. Chcę być lepsza od innych, zarówno w pracy, jak i w życiu prywatnym. Ciężko to wszystko pogodzić.

Dziś jest sobota, jutro wybory. Mam znajomego, który nienawidzi weekendów, bo wtedy nie działa giełda i nie ma się czym zająć.

Mąż przekonał mnie, że powinniśmy częściej wychodzić z domu. Twierdzi, że dzieci muszą przebywać więcej na świeżym powietrzu. Nie możemy wyjechać na cały weekend, ponieważ jutro mam dyżur w redakcji. Rano mąż poprosił, żebym włożyła dres. Krępuję się wyjść na dwór w takim stroju. Mamy jechać do Nyon, założonego przez Rzymian pięknego, starego miasteczka. Tłumaczę, że w dresie chodzi się koło domu, kiedy sąsiedzi widzą, że wyszliśmy poćwiczyć, ale mąż nalega.

Nie chcę się kłócić, więc mu ulegam. Ostatnio unikam kłótni. Jestem w takim stanie, że najważniejszy jest dla mnie spokój.

Jedziemy na piknik do miasteczka oddalonego od domu o pół godziny drogi samochodem. W tym czasie Jakub pewnie odwiedza swoich wyborców, rozmawia z doradcami i przyjaciółmi. Jest przejęty, może trochę zdenerwowany, ale zadowolony, że coś się w jego życiu dzieje. Z sondaży w Szwajcarii niewiele można się dowiedzieć, ponieważ tajny charakter wyborów traktowany jest z wielką powagą. Wszystko jednak wskazuje na to, że Jakub zostanie ponownie wybrany.

Myślę, że jego żona też miała bezsenną noc, ale z innych niż ja powodów. Po oficjalnym ogłoszeniu wyników planuje przyjęcie dla przyjaciół. Pewnie rano wybiera się na targ przy Rue de Rive. Tam, naprzeciwko banku Julius Baer i sklepów luksusowych marek Prada, Gucci i Armani, przez cały tydzień stoją stragany z warzywami, serami i mięsem. Nie zważając na cenę, Marianne wybierze najlepsze produkty. Potem pojedzie do Satigny i odwiedzi jedną ze słynnych winnic naszego regionu. Spośród kilku roczników wybierze wino, które najbardziej zadowoli takich prawdziwych koneserów jak jej mąż.

Wróci do domu zmęczona, ale szczęśliwa. Co prawda oficjalnie nadal trwa kampania, ale warto mieć wszystko pod ręką. Po jakimś czasie przypomni sobie, że ma za mało sera! Wsiądzie do samochodu i wróci na targ. Spośród tuzina produktów wybierze najlepsze sery z kantonu Vaud. Pierwszy to *gruyère* (są trzy rodzaje: słodki, lekko słony i ten najdroższy, dojrzewający od 9 do 12 miesięcy). Drugi to *tomme vaudoise* (miękki w środku, nadaje się do jedzenia w kawałkach lub na *fondue*), a trzeci to *l'etivaz* (z mleka alpejskich krów, długo podgrzewany w kotle nad paleniskiem).

A może przy okazji wstąpi do markowego sklepu i kupi sobie nową kreację? Zawaha się, ponieważ nie lubi ostentacji. W końcu uzna, że lepiej będzie wyjąć z szafy sukienkę Moschino. Kupiła ją w Mediolanie, kiedy towarzyszyła mężowi na konferencji poświęconej prawu pracy.

Ciekawe, co słychać u Jakuba.

Pewnie co godzinę wydzwania do żony i pyta, którą ulicę albo dzielnicę powinien teraz odwiedzić, albo czy gazeta „Tribune de Genève" zamieściła coś nowego na swojej stronie? Liczy na pomoc żony i doradców. Po kolejnym spotkaniu z wyborcami jest spokojniejszy. Wypytuje żonę o skuteczność zaplanowanej z wyprzedzeniem strategii, radzi się, jak dalej działać. W czasie rozmowy w parku jasno dał do zrozumienia, że nie wycofa się z polityki, bo nie chce zawieść żony. Nienawidzi swojego zajęcia, ale miłość nadaje jego wysiłkom inny wymiar. Jeśli kariera Jakuba nadal będzie rozwijać się w takim tempie, niebawem zostanie prezydentem Republiki. Co prawda u nas to niewiele znaczy, bo wybory do Rady Federalnej są raz do roku, ale która żona nie chciałaby pochwalić się mężem, byłym prezydentem Konfederacji Szwajcarskiej, w świecie zwanej Szwajcarią?

To otworzy mu wszystkie drzwi. Z najodleglejszych zakątków świata zaczną spływać zaproszenia na konferencje, jakaś wielka firma zaproponuje mu miejsce w radzie nadzorczej. Przyszłość Jakuba Königa maluje się w jasnych barwach, podczas gdy moja ogranicza się do przejażdżki samochodem, pikniku i ohydnego dresu.

Najpierw idziemy do muzeum archeologicznego poświęconego czasom rzymskim. Potem wdrapujemy się na wzgórze, żeby obejrzeć ruiny. Dzieci bawią się. Czuję ulgę na myśl o tym, że mąż o wszystkim wie. Wreszcie nie muszę udawać.

– Przebiegniemy się wzdłuż jeziora.

A co z dziećmi?

– Nie martw się. Są grzeczne i jeśli je poprosimy, nie ruszą się z miejsca.

Schodzimy razem na brzeg Jeziora Lemańskiego, przez obcokrajowców nazywanego Genewskim. Mąż kupuje dzieciom lody i prosi, żeby posiedziały na ławce. Każe im czekać, aż mama i tata wrócą z przebieżki. Starszy syn chce pograć na iPadzie. Mąż idzie do samochodu i przynosi ten diabelski wynalazek. Od tej chwili ekran spełnia rolę najlepszej niańki. Dzieciaki nie ruszą się z miejsca, zanim nie zabiją wszystkich terrorystów w grze, którą wymyślono dla dorosłych.

•

Biegniemy. Z jednej strony ogrody, z drugiej mewy i żeglarze korzystający z wietrznej pogody. Minęło dziewięć dni i mistral powinien niedługo się skończyć. Zostanie po nim czyste niebo i słońce. Kwadrans biegu i zostawiamy w tyle Nyon. Zaraz trzeba będzie wracać.

Dawno nie ruszałam się, dlatego po dwudziestu minutach muszę stanąć. Nie daję rady. Mogę już tylko iść.

– Wytrzymasz! – zagrzewa mnie mąż. – Nie daj się! Biegnij do końca – dodaje, truchtając w miejscu.

Pochylam się, opieram dłonie na udach. Serce wali mi jak młot. To przez te bezsenne noce. Mąż krąży truchtem wokół mnie.

– Dalej! Dasz radę! Nie zatrzymuj się. Zrób to dla mnie, dla dzieci. Tu nie chodzi tylko o ćwiczenie. Ważna jest meta. Nie możesz zrezygnować w połowie drogi.

Chce mi poprawić nastrój?

Podchodzi do mnie, bierze za ręce i delikatnie nimi potrząsa. Jestem zbyt zmęczona, żeby dalej biec. Jednak znacznie bardziej męczy mnie opór. Dlatego robię, co każe. Biegniemy razem jeszcze dziesięć minut.

Przebiegam obok plakatu wyborczego kandydatów do Rady Federalnej. Nie widziałam go wcześniej. W szeregu zdjęć zauważam uśmiechniętą twarz Jakuba Königa.

Przyspieszam. Mąż patrzy na mnie zdziwiony i również zaczyna szybciej biec. Mieliśmy dotrzeć do mety w dziesięć minut, jesteśmy po siedmiu. Dzieci nie ruszyły się z miejsca. Wokół piękny pejzaż, góry, mewy, szczyty Alp na horyzoncie, a one siedzą ze wzrokiem wbitym w ekran przeklętego tabletu, mamiącego ludzkie dusze.

Mąż podbiega do dzieci. Biegnę za nim, ale się nie zatrzymuję. Patrzy na mnie zdziwiony, chociaż nie kryje zadowolenia. Pewnie myśli, że podziałały na mnie jego słowa. Ruszam się i wypełniam ciało cennymi endorfinami, które pojawiają się w organizmie podczas intensywnego wysiłku jak bieg czy namiętny seks. Hormon przynosi natychmiastowy skutek – poprawia humor. Do tego zwiększa odporność organizmu, zapobiega przedwczesnemu starzeniu, a przede wszystkim wprawia w stan euforii, daje radość.

Niestety w moim przypadku endorfiny dają tylko

siłę. Mam ochotę biec dalej, hen po horyzont, zostawić za sobą cały świat. Jak to się stało, że mam takie wspaniałe dzieci? Dlaczego poznałam mojego męża? Dlaczego się w nim zakochałam? Gdybym go nie spotkała, może nadal byłabym wolna?

Tracę rozum. Powinnam dobiec do najbliższego szpitala, bo normalnego człowieka nie nachodzą takie myśli. Bezsensowne pytania wciąż kłębią mi się w głowie.

Biegnę jeszcze kilka minut i zawracam. W drodze powrotnej ogarnia mnie strach, że moje marzenia o wolności za chwilę się spełnią i na ławce w Nyon nikt nie będzie na mnie czekał.

Na szczęście wszyscy są. Z uśmiechem przyjmują powrót mamy i ukochanej żony. Biorę ich w objęcia. Jestem spocona. Czuję, że mam brudne ciało i duszę, ale mocno tulę ich do piersi.

Na przekór temu, co czuję, a właściwie – na przekór temu, czego nie czuję.

Nie wybieramy sobie życia, to ono wybiera nas. Nie mamy też wpływu na to, ile przypadnie nam w udziale szczęścia, a ile smutku. Trzeba się z tym pogodzić i iść dalej.

To prawda, że nie wybieramy sobie życia, ale decydujemy, co zrobimy ze szczęściem i smutkiem, które są nam przeznaczone.

Niedzielne popołudnie. Jestem w siedzibie partii (przekonałam redaktora naczelnego, że muszę tu być, a teraz przekonuję siebie). Jest kwadrans po piątej i wszyscy świętują. Nie sprawdziły się moje urojenia o wystawnym bankiecie dla przyjaciół. Żaden kandydat nie wydaje przyjęcia w domu, więc nie zobaczę gniazdka Jakuba i Marianne Königów.

Chwilę po moim przyjściu ogłaszają pierwsze wyniki. Głosowało 45 procent uprawnionych obywateli, co stanowi rekord. Wygrała kobieta, a Jakub zajął honorowe, trzecie miejsce. Jeśli partia wystawi jego kandydaturę, będzie mógł wejść do rządu.

Główna sala została udekorowana żółtymi balonikami. Zebrani wznoszą toasty, niektórzy z triumfalnym uśmiechem podnoszą kieliszki i patrzą w moją stronę. Pewnie mają nadzieję, że jutro ich zdjęcia znajdą się w gazecie. Jednak fotoreporterzy jeszcze się nie zjawili. Jest niedziela, na dworze piękna pogoda.

Jakub nerwowo szuka mnie wzrokiem, a gdy mnie

zauważa, natychmiast odwraca się do osoby, z którą rozmawia. Na pewno dyskutują o czymś wyjątkowo nudnym.

Muszę udawać, że pracuję. Wyjmuję dyktafon, notes i długopis. Chodzę wśród ludzi i zbieram opinie. „Wreszcie przegłosujemy ustawę o emigrantach". „Wyborcy zrozumieli, że ostatnio popełnili błąd i teraz nam dali władzę". Zwyciężczyni uważa, że „głosy kobiet były decydujące".

W głównej sali lokalna telewizja Léman Bleu zorganizowała studio. Dziennikarka komentująca wydarzenia polityczne, obiekt pożądania dziewięciu na dziesięciu szwajcarskich mężczyzn, zadaje błyskotliwe pytania. W odpowiedzi otrzymuje gładkie frazesy, uzgodnione wcześniej z doradcami.

W pewnej chwili proszą na podium Jakuba Königa. Przepycham się w kierunku sceny, żeby lepiej słyszeć, ale niespodziewanie ktoś zachodzi mi drogę.

78

– Witam! Jestem Madame König. Jakub dużo mi o pani mówił.

Piękna kobieta! Blondynka o niebieskich oczach w eleganckim, czarnym kardiganie i czerwonym szalu od Hermèsa. Nad całością na pewno czuwał jakiś paryski stylista, którego nazwisko pozostanie tajemnicą.

Jakub o mnie mówił? Kilka dni temu zrobiłam z nim wywiad. Byliśmy razem na obiedzie. Co prawda dziennikarze nie powinni wyrażać opinii o swoich rozmówcach, ale uważam, że pani mąż wykazał wielką odwagę, demaskując szantażystów.

Marianne – a właściwie Madame König – udaje zainteresowanie moimi słowami. Z pewnością wie więcej, niż można wyczytać z jej oczu. Ciekawe, czy Jakub mówił jej coś o naszym spotkaniu w parku. Może powinnam zapytać?

Zaczyna się wywiad dla telewizji Léman Bleu, ale Marianne nie wydaje się zainteresowana tym, co ma do powiedzenia jej mąż. Pewnie zna jego wypowiedzi na pamięć. Domyślam się, że sama dobrała mu jasnoniebieską koszulę, szary krawat i doskonale skrojoną marynarkę z wełnianej flaneli. Doradziła też, żeby założył dyskretny, niezbyt drogi, ale i nie za tani zegarek, symbolizujący jego wsparcie dla najważniejszej gałęzi szwajcarskiego przemysłu.

Pytam, czy chciałaby mi coś ciekawego powiedzieć. Odpowiada, że jako wykładowca i asystent na Uniwersytecie Genewskim chętnie podzieli się swoją wiedzą, ale nie zamierza wygłaszać żadnych deklaracji jako żona polityka.

Mam wrażenie, że mnie prowokuje. Podejmuję wyzwanie.

Mówię, że szczerze podziwiam jej postawę. Chociaż przed wyborami gazety rozpisywały się o romansie Jakuba z żoną kolegi, Marianne nie zrobiła skandalu.

– Jeśli w grę wchodzi seks bez miłości, nie ma powodu się oburzać. Popieram otwarte związki.

Czy to aluzja do mnie? Nie wytrzymuję spojrzenia jej błyszczących niebieskich oczu. Zdążyłam tylko zauważyć, że ma bardzo dyskretny makijaż.

– Powiem więcej – ciągnie Marianne. – To ja wpadłam na pomysł, żeby zawiadomić waszą redakcję poprzez anonimowego informatora i opisać sprawę tydzień przed wyborami. Ludzie szybko zapomną o zdradzie, za to będą pamiętać odwagę Jakuba, kiedy publicznie opowiedział o próbie korupcji. Nie wahał się ujawnić sprawy, ryzykując rozpad małżeństwa.

Po tych słowach wybucha śmiechem i dodaje, że to jest oczywiście poufna informacja, której nie wolno mi publikować.

Odpowiadam, że jeśli ktoś chce zastrzec informację, musi to powiedzieć wcześniej. Dziennikarz może przystać na ten warunek, ale nie musi. Prosić o to po ujawnieniu intymnego szczegółu to jak próba wyłowienia kartki, która wpadła do rwącej rzeki i płynie w nieznanym kierunku.

– Ale mogę liczyć na spełnienie mojej prośby? Nie ma pani chyba zamiaru działać na szkodę mojego męża?

Po pięciu minutach rozmowy stajemy się wrogami. Niechętnie przystaję na jej prośbę. Marianne na pewno zapamięta, że następnym razem musi się pilnować podczas rozmowy z dziennikarzem. Każda chwila życia czegoś ją uczy i zbliża do upragnionego celu – spełnienia swoich ambicji. Tak, swoich, bo przecież nie są to ambicje Jakuba, który wyraźnie dał mi do zrozumienia, że jest nieszczęśliwy.

Madame König nie spuszcza ze mnie wzroku. Wracam do roli dziennikarki i pytam, czy chciałaby coś dodać do swojej wypowiedzi. Przygotowuje w domu przyjęcie dla przyjaciół?

– Ależ skąd! Za dużo pracy. Poza tym Jakub został już wybrany. Bankiety wydaje się przed wyborami, żeby zyskać głosy.

Znowu czuję się jak idiotka, ale muszę zadać jeszcze jedno pytanie.

Czy Jakub jest szczęśliwy?

Po tych słowach zdaję sobie sprawę, że przekroczyłam dozwoloną granicę.

Madame König odpowiada protekcjonalnym tonem, cedząc słowa jak profesor z katedry:

– Oczywiście, że jest szczęśliwy. Dlaczego miałoby być inaczej?

Mam ochotę zabić ją i poćwiartować.

Podchodzą do nas dwie osoby – znajomy Marianne, który gratuluje jej sukcesu męża, i asystent zwyciężczyni, który chce przedstawić mnie swojej szefowej. Żegnam się z żoną Jakuba. Mówię, że miło było ją poznać. Nie zdążyłam dodać, że w przyszłości chętnie porozmawiam z panią König o sprawach, o których nie mówi publicznie, czyli o pozamałżeńskim seksie i żonie przyjaciela. Wręczam jej wizytówkę, ale nie dostaję nic w zamian. Kiedy chcę odejść, Marianne chwyta mnie za ramię i w obecności asystenta oraz swojego znajomego, który przyszedł pogratulować jej sukcesu męża, mówi:

– Ostatnio rozmawiałam z pewną znajomą, która umówiła się na obiad z moim mężem. Żal mi jej. Udaje twardą, a tak naprawdę jest słaba. Chce pokazać, że jest pewna siebie, ale w duchu ciągle zadaje sobie pytanie, co inni o niej myślą. Musi być bardzo samotna. Wie pani, że my kobiety mamy szósty zmysł. Na odległość wyczuwamy rywalki, które zagrażają naszym związkom. Prawda, że mam rację?

Oczywiście, odpowiadam, zachowując pozory obojętności. Asystent niecierpliwi się. Zwyciężczyni wyborów czeka.

– Ta biedaczka nie ma szans – dodaje na koniec Marianne.

Podaje mi rękę i odchodzi jak gdyby nigdy nic.

Jest poniedziałek. Przez całe przedpołudnie próbuję dodzwonić się na komórkę Jakuba. Bez powodzenia. Włączam opcję „numer zastrzeżony" i dzwonię ponownie. Nadal nikt nie odpowiada.

Postanawiam zadzwonić do jego asystenta. Tłumaczy, że to pierwszy dzień po wyborach i König jest bardzo zajęty. Nalegam, muszę z nim porozmawiać i będę nadal dzwonić. Stosuję sztuczkę i pożyczam telefon od kolegi. Tego numeru Jakub na pewno nie ma w swoich kontaktach.

Po dwóch sygnałach Jakub odbiera.

To ja, natychmiast musimy się spotkać.

Grzecznie odpowiada, że dziś nie może, ale obiecuje, że wkrótce oddzwoni.

– To twój nowy numer?

Nie, pożyczyłam komórkę od kolegi, bo nie odbierałeś moich telefonów.

Śmieje się sztucznie, udaje, że prowadzi jakąś mało ważną rozmowę. Pewnie otacza go tłum ludzi.

Kłamię. Ktoś zrobił nam zdjęcie w parku i teraz próbuje mnie szantażować. Powiem, że to ty mnie pocałowałeś. Twoi wyborcy, którzy wybaczyli ci już jeden skok w bok, będą zawiedzeni. Co prawda wybrano cię do Rady Federalnej, ale możesz nie znaleźć się w rządzie.

– Dobrze się czujesz?

Tak. Proszę, żeby wysłał mi wiadomość, gdzie i kiedy możemy się jutro spotkać. Rozłączam się.

Czuję się świetnie.

Nic dziwnego. Wreszcie jakiś kłopot, którym mogę się zająć. W bezsenne noce nie będę zaprzątać sobie głowy wydumanymi, bezsensownymi problemami. Wiem, czego chcę. Mam nieprzyjaciela, którego zamierzam zniszczyć. Pojawił się prawdziwy cel.

Jest nim mężczyzna.

Nie chodzi tylko o miłość. W grę wchodzi coś znacznie ważniejszego. Zakochałam się, bo tego chcę i robię to na własną odpowiedzialność. Chcę kogoś obdarzyć uczuciem, chociaż wiem, że mogę spotkać się z obojętnością. Pragnę miłości, ale jeśli jej nie otrzymam, trudno. Nie zrezygnuję z kopania studni, bo wiem, że tam w dole jest woda, prawdziwa woda życia.

Ta myśl wprawia mnie w dobry nastrój. Mogę kochać, kogo chcę i nie muszę nikogo prosić o zgodę. Ilu mężczyzn kochało się we mnie, wiedząc, że nie odwzajemniam ich uczuć? Obsypywali mnie prezentami, adorowali, upokarzali się w obecności znajomych, a mimo to nigdy się nie obrazili.

Kiedy mnie spotykali, ich oczy płonęły niezmiennym blaskiem niespełnionego pożądania. Dawali do zrozumienia, że do końca życia będą próbowali mnie zdobyć.

Jeśli oni mogli, to dlaczego mi nie wolno? To coś nowego – kochać bez wzajemności.

Być może nie przyniesie mi to radości, a nawet grozi głębokim urazem na całe życie, ale przynajmniej dzieje się coś nowego. Taka sytuacja jest szczególnie pociągająca dla kogoś, kto przez lata bał się podejmować ryzyko i z przerażeniem obserwował wokół siebie zmiany, na które nie miał wpływu.

Nie będę tłumić swoich uczuć. To nowe wyzwanie jest dla mnie zbawieniem.

Pół roku temu kupiliśmy pralkę. Trzeba było zrobić nowy odpływ, przenieść ją na inne piętro i pomalować ścianę. Pomieszczenie gospodarcze okazało się ładniejsze od kuchni. Żeby nie było widać tej rażącej różnicy, musieliśmy wyremontować kuchnię. Potem okazało się, że i salon wymaga odnowienia. Po remoncie salonu doszliśmy do wniosku, że to samo trzeba zrobić z gabinetem, który przez lata zaniedbaliśmy.

I tak, krok po kroku, wyremontowaliśmy cały dom.

Mam nadzieję, że to samo zdarzy się w moim życiu i małymi krokami wprowadzę wielkie zmiany.

Spędzam dużo czasu na zbieraniu informacji o Marianne, która przedstawiła mi się jako Madame König. Przyszła na świat w zamożnej rodzinie, która miała udziały w jednej z największych firm farmaceutycznych na świecie. Na zdjęciach w internecie Marianne zawsze jest elegancko ubrana, nawet kiedy bierze udział w wydarzeniach sportowych. Zawsze nosi się stosownie do okazji. Na pewno nie wybrałaby się w zwykłym dresie do Nyon ani w sukience od Versace do dyskoteki uczęszczanej przez młodzież.

Domyślam się, że zazdroszczą jej wszyscy mieszkańcy Genewy i okolic. Jest dziedziczką wielkiej fortuny, wyszła za mąż za zdolnego polityka, a do tego robi karierę naukową na wydziale filozofii. Napisała dwie prace, w tym doktorat zatytułowany „Nerwica i psychoza u osób w wieku emerytalnym", opublikowany przez Éditions Université de Genève. Dwa artykuły Marianne ukazały się w czasopiśmie „Les Rencontres", dla którego pisywali Adorno i Piaget. Jej nazwisko widnieje w Wikipedii, chociaż tekst o niej dawno nie był aktualizowany. Można z niego wyczytać, że pani König zajmuje się „zjawiskami agresji, konfliktami i przemocą psychiczną w domach starców na obszarze frankofońskiej Szwajcarii".

Wiedząc tyle o ludzkiej rozpaczy i szczęściu, nie widzi niczego dziwnego w „pozamałżeńskich związkach" swojego męża.

Wykonała mistrzowski ruch. Przekonała ważną gazetę, że wiadomość przekazał jej anonimowy informator, czyli osoba, której nie należy traktować zbyt poważnie, szczególnie w Szwajcarii, gdzie nie ma wielu donosicieli. Na pewno nie przyzna się, że sama rozpuściła plotkę.

Manipulatorka. To, co mogło zrujnować jej życie, przekuła w akt tolerancji i wzajemnej życzliwości małżonków, którzy ramię w ramię walczą z korupcją.

Wizjonerka. Jest inteligentna i dlatego nie spieszy się z rodzeniem dzieci. Ma czas. Na razie umacnia swoją pozycję. Nie musi w nocy zrywać się do płaczącego dziecka ani słuchać uwag sąsiadów, że matka powinna zająć się dziećmi zamiast uganiać się za pracą. (Takie właśnie rady dawali mi dobrzy ludzie.)

Ma niesamowity instynkt i dlatego nie widzi we mnie zagrożenia. Wbrew pozorom dla nikogo nie jestem niebezpieczna. Zagrażam tylko sobie.

Oto kobieta, którą chcę zniszczyć. Będę bezlitosna.

Nie jest nieszczęsną emigrantką, która nie ma wizy i umiera ze strachu, że ktoś ją nakryje. Nie musi zrywać się z łóżka o piątej rano, żeby zdążyć do pracy w centrum miasta. Nie jest też paniusią, której mąż pracuje jako wysoki urzędnik Organizacji Narodów Zjednoczonych. Nie spędza czasu na bankietach, obnosząc się ze swoim bogactwem, a jeśli już musi w jakimś uczestniczyć, to zawsze z uśmiechem na przekór plotkom o romansie męża z kobietą młodszą o dwadzieścia lat. Marianne nie jest też młodą kochanką ważnego urzędnika ONZ. Nie martwi się, że chociaż haruje jak wół, nikt nie docenia jej poświęcenia, bo „jest kochanką szefa".

Nie jest również samotną kobietą, która robi karierę w Międzynarodowej Organizacji Handlu. Taką, która dla awansu przeniosła się do Genewy, ale nie ma szans na romans, bo tu wszyscy boją się oskarżenia o mobbing i w pracy nikt nie patrzy nikomu w oczy. Kobietą, która wieczorami siada naprzeciw pustej ściany w wielkim, wynajętym domu i raz na jakiś czas korzysta z usług żigolaka. Wtedy na chwilę zapomina, że resztę życia spędzi bez męża, bez dzieci i bez kochanków.

Marianne nie należy do żadnej z tych kategorii. Jest kobietą spełnioną.

Ostatnio lepiej śpię. Przed weekendem muszę spotkać się z Jakubem. Obiecał mi to i wątpię, żeby miał odwagę odwołać spotkanie. W poniedziałek podczas naszej rozmowy był zdenerwowany.

Mój mąż jest przekonany, że wypad do Nyon dobrze mi zrobił. Nie wie, że właśnie tego dnia zrozumiałam, co jest przyczyną moich smutków – brak namiętności i ryzyka w moim życiu.

Mam wrażenie, jakbym przez lata cierpiała na rodzaj autyzmu. Mój świat, kiedyś tak wielki i pełen możliwości, wraz z rosnącą potrzebą bezpieczeństwa zaczął się kurczyć. Dlaczego? Pewnie po naszych przodkach jaskiniowcach odziedziczyliśmy przekonanie, że bezpieczeństwo zapewnia tylko życie w grupie, a człowiek samotny ginie.

Wierzymy w to, chociaż grupa nie sprawuje kontroli nad wszystkim, nie chroni przed wypadaniem włosów czy zmianami w budowie komórki powodującymi raka.

Złudne poczucie bezpieczeństwa sprawia, że zapominamy o takich rzeczach. Im szczelniej otoczymy się murem, tym lepiej. Nawet jeśli będzie to tylko bariera psychologiczna, nawet jeśli wiemy, że śmierć sforsuje każdą przeszkodę. Łudzimy się, że mamy nad wszystkim kontrolę.

Mój stan ducha niepokoi mnie, przypomina wzburzone morze. Zrobiłam rachunek sumienia i doszłam do wniosku, że wypłynęłam na ocean na małej tratwie i to właśnie w chwili, gdy zaczął się sztorm. Nie ma odwrotu, ale czy przeżyję?

Na pewno.

Przetrwałam niejedną burzę. Zapisałam sobie rzeczy, które powinnam zrobić, gdy znów wpadnę w czarną dziurę.

• Bawić się z dziećmi, czytać im bajki, które inspirują także dorosłych.

• Częściej patrzeć w niebo.

• Pić wodę mineralną z lodówki. Może to banalne, ale zawsze mnie ożywia.

• Gotować. Gotowanie to najwspanialsza ze sztuk, ponieważ wymaga udziału pięciu zmysłów i pozwala dzielić się tym, co w nas najlepsze. To moja ulubiona forma terapii.

• Zapisywać, co mi się nie podoba. Niedawno odkryłam, że to dobra rzecz. Jeśli coś mnie drażni, najpierw to powiem, a potem zapiszę. Pod koniec dnia spojrzę na listę i zrozumiem, że niepotrzebnie się denerwowałam.

• Częściej się uśmiechać, choćby przez łzy. To najtrudniejsze zadanie, ale przyzwyczaję się. Buddyści mówią, że uśmiech przyklejony do twarzy, nawet jeśli na początku jest fałszywy, z czasem zaczyna rozświetlać naszą duszę.

• Dwa razy dziennie brać prysznic. Co prawda woda jest twarda i wysusza skórę, ale będę miała wrażenie, że oczyszczam moje wnętrze.

To wszystko zadziała, ponieważ mam jasny cel – zdobyć mężczyznę. Jestem jak osaczony tygrys, który nie ma dokąd uciec. Jedyne, co mu pozostaje, to z furią zaatakować.

Wreszcie pada konkretna propozycja: jutro, godzina 15:00, restauracja w klubie golfowym Cologny. Mogliśmy spotkać się w zwykłym bistro albo w barze, gdzieś w bocznej uliczce, blisko głównej, jedynej dużej alei w mieście.

Mamy spotkać się po południu.

Dlaczego? Bo o tej porze restauracje są puste i będziemy mogli swobodnie porozmawiać. Muszę jakoś wytłumaczyć się przed szefem, ale to nie będzie trudne. W końcu to ja napisałam artykuł o wyborach, który przedrukowały wszystkie gazety w kraju.

Jakub wybrał miejsce na uboczu ze względu na romantyczną atmosferę. Z łatwością daję wiarę temu, w co chcę wierzyć. Jesień pomalowała drzewa różnymi odcieniami złota. Kto wie, może uda mi się go wyciągnąć na spacer. Kiedy się ruszam, lepiej myślę. Doświadczyłam tego podczas biegu w Nyon. Nie wiem jednak, czy dzisiaj będzie to możliwe.

Na kolację podałam dziś roztopiony ser, mięso z żubra i *rösti* – tradycyjne placuszki ziemniaczane ze śmietaną, wszystko przygotowane w grillu. Mamy jakieś święto? – pytały dzieci. Tak – siedzimy razem przy stole i rozkoszujemy się smakowitą kolacją. Po kolacji wzięłam drugi prysznic. Musiałam się uspokoić. Nałożyłam balsam na ciało i poszłam przeczytać dzieciom bajkę. Kiedy weszłam do pokoju, siedziały z oczami wlepionymi w ekrany tabletów. Używanie tych urządzeń powinno być zabronione do piętnastego roku życia!

Kazałam im wyłączyć tablety. Niechętnie wykonały moje polecenie. Wzięłam książkę z bajkami, otworzyłam ją na chybił trafił i zaczęłam czytać:

W epoce lodowcowej wiele zwierząt umierało z zimna. Jeże postanowiły nawzajem się bronić i ogrzewać, dlatego zbiły się w gromadę.

Niestety jeże mają kolce, i jedne drugich zaczęły ranić. Im więcej dawały sobie ciepła, tym bardziej się raniły. Dlatego wkrótce niektóre jeże zaczęły odsuwać się od swoich towarzyszy.

Skutek był taki, że umarły z zimna.

Pozostałe jeże stanęły przed wyborem – znikną z powierzchni ziemi albo pogodzą się z tym, że nawzajem się ranią.

Były mądre, więc postanowiły znów się zjednoczyć. Nauczyły się razem żyć mimo zadawanych sobie ran. Zrozumiały, że nie sposób uniknąć cierpienia, kiedy jest się z kimś blisko. Najważniejsze było ciepło, które dostawały od swoich towarzyszy. Dzięki temu przetrwały.

Dzieci pytają, kiedy zobaczą prawdziwego jeża.

– Czy w zoo są jeże?

Nie wiem.

– Co to jest epoka lodowcowa?

Czas, kiedy było bardzo zimno.

– Jak w zimie?

Tak, ale wtedy zima trwała bardzo długo.

– Dlaczego jeże nie wyrwały sobie kolców, żeby się do siebie przytulić?

Boże! Powinnam była wybrać inną bajkę. Gaszę światło, całuję je na dobranoc i śpiewam ludową kołysankę. Po chwili zasypiają.

Mąż przyniósł mi valium. Dotąd odmawiałam przyjmowania leków uspokajających, ponieważ bałam się uzależnienia. Jednak jutro chcę być wypoczęta, więc połykam dziesięciomiligramową tabletkę i wkrótce zapadam w głęboki sen. Nie mam koszmarów, nie budzę się w nocy.

Jestem grubo przed czasem. Mijam pawilon klubu golfowego, gdzie mieści się restauracja, i idę do parku. Korzystając z pięknego popołudnia, przechadzam się aleją wysadzaną drzewami.

Melancholia. To pierwsze słowo, jakie kojarzy mi się z jesienią. Koniec lata, dni są coraz krótsze, a my nie jesteśmy jeżami z epoki lodowcowej. Nie chcemy, żeby ktoś nas ranił.

W innych krajach ludzie umierają z powodu upałów, w korkach na autostradach i na dusznych lotniskach. My zaś rozpalamy ogień w kominku i wyjmujemy z szafy ciepłe pledy.

Podziwiam piękne widoki. Drzewa, do niedawna podobne do siebie jak krople wody, teraz coraz bardziej się różnią i mienią wieloma odcieniami. Mija kolejna faza cyklu życia. Przyroda szykuje się do snu, aby po kilku miesiącach, na wiosnę, znów rozkwitnąć.

To najlepsza pora, by zapomnieć o nieprzyjemnych sprawach. Trzeba pozwolić, żeby opadły z nas suche liście. Można wrócić do lekcji tańca, wykorzystać każdą chwilę mocnego jeszcze słońca, ogrzać w jego promieniach ciało i duszę, zanim zaśnie, zmieniając się w mgliste światełko na niebie.

Widzę go z daleka. Szuka mnie w restauracji, na tarasie, wreszcie pyta barmana, który wskazuje ręką w moim kierunku. Jakub zauważa mnie i macha. Wolno idę w jego stronę. Daję mu czas. Niech podziwia moją sukienkę, buty, żakiet, to, jak się poruszam. Jestem coraz bardziej przerażona, ale nie mogę zgubić rytmu.

Szukam w myślach odpowiednich słów. Co sprawiło, że znów się spotykamy? Dlaczego tłumimy uczucia? Przecież oboje czujemy, że coś jest między nami. Boimy się upaść, mimo że dotąd nie mieliśmy ku temu wielu okazji. Idąc aleją, uświadamiam sobie, że przechodzę dziwną przemianę. Po raz pierwszy w życiu czuję, jak cynizm zmienia się w pożądanie, a ironia w oddanie.

Co myśli Jakub, kiedy tak na mnie patrzy? Mam go przekonać, że nie ma się czego obawiać? Powiedzieć, że „jeśli zło istnieje, jego źródłem jest strach"?

Melancholia. To słowo sprawia, że zmieniam się w romantyczkę i z każdym krokiem ubywa mi lat.

Gorączkowo myślę, co powiem, kiedy przed nim stanę. Nie warto się teraz zastanawiać, słowa przyjdą same. Są we mnie. Jeszcze ich nie rozpoznaję, nie akceptuję, ale są silniejsze od mojej potrzeby kontrolowania uczuć.

Dlaczego nie powiem mu tego, co myślę?

Powstrzymuje mnie strach? Czy jest coś gorszego od szarego, smutnego życia, gdy jeden dzień jest podobny do drugiego? Od przerażenia, że kiedyś wszystko zniknie, łącznie z moją duszą, że zostanę sama, nie wykorzystam otrzymanych darów i stracę szansę na szczęście?

Patrzę pod słońce na liście spadające z drzew. To samo dzieje się ze mną. Z każdym krokiem opada ze mnie kawałek pancerza, słabnie obrona, mur rozpada się w gruzy, a w blasku jesiennego słońca moje ukryte głęboko serce wypełnia radość.

O czym będziemy dziś rozmawiać? O muzyce, której słuchałam w samochodzie w drodze do klubu? O wietrze szumiącym wśród drzew? O ludzkiej duszy pełnej sprzeczności, o upadku i odkupieniu?

Porozmawiamy o melancholii. Pewnie dla Jakuba to smutne słowo. Wyjaśnię mu, że nie chodzi o nostalgię, tęsknotę za odległym, niejasnym wspomnieniem. To uczucie pojawia się, gdy odwracamy wzrok od naszej drogi życia i buntujemy się przeciw losowi, który oddala nas od szczęścia i upragnionego poczucia bezpieczeństwa.

Jeszcze kilka kroków. Runął mur i do serca wdziera się światło. Nie zamierzam tłumić dłużej swoich uczuć. Chcę w pełni przeżyć to piękne popołudnie, które nigdy się nie powtórzy. Nie muszę Jakuba do niczego przekonywać. Jeśli jeszcze tego nie rozumie, zrozumie później. To tylko kwestia czasu.

Pomimo chłodu usiądziemy na zewnątrz, żeby Jakub mógł zapalić. Pewnie zacznie od wymówek. Będzie chciał wiedzieć, co to za zdjęcie z parku i kto je zrobił.

Mam nadzieję, że porozmawiamy też o życiu na innych planetach, o Bogu, o którym tak często zapominamy, o wierze, o zagadce przeznaczenia, które na długo przed naszym narodzeniem determinuje, z kim i kiedy się spotkamy.

Porozmawiamy o odwiecznej walce nauki z religią, o miłości, która kojarzy nam się z pożądaniem i strachem. Jakub na pewno podważy moją definicję melancholii. Nie będę się z nim spierać, tylko w ciszy dokończę herbatę, podziwiając zachód słońca nad górami i ciesząc się każdą chwilą.

Porozmawiamy też o kwiatach, mimo że jedyny bukiet w zasięgu mojego wzroku znajduje się na kontuarze baru. Pewnie pochodzą ze szklarni, która hoduje je na pęczki. Miło jest jesienią rozmawiać o kwiatach. Taki temat budzi nadzieję na szybkie nadejście wiosny.

Jeszcze kilka metrów. Zniknęły wszelkie bariery. Narodziłam się na nowo.

•

Podchodzę, witam się i zgodnie z tutejszym zwyczajem trzy razy całuję go w policzki. (Kiedy jestem w podróży i trzy razy całuję kogoś na powitanie, widzę zaskoczenie.) Jakub wydaje się zdenerwowany. Proponuję, żebyśmy usiedli na tarasie. Nikt nam nie będzie przeszkadzał i można spokojnie zapalić. Widzę, że dobrze zna kelnera. Prosi go o campari z tonikiem. Ja zgodnie z planem zamawiam herbatę.

Żeby pomóc mu się odprężyć, opowiadam o przyrodzie, o drzewach i radości, jaką niesie obserwacja zmian w otoczeniu. Wbrew pozorom natura nie powiela tych samych schematów. Zresztą to niemożliwe i wbrew... samej naturze. Czy nie powinniśmy się na niej wzorować? Traktować zmiany jako źródło inspiracji, a nie zagrożenie?

Jakub wciąż jest spięty. Odpowiada automatycznie, jakby chciał jak najszybciej zakończyć naszą rozmowę. Nie daję za wygraną. To jedyny taki dzień w moim życiu i zamierzam go uczcić. Mówię o rzeczach, które przyszły mi do głowy, gdy szłam parkową aleją. Nie kontroluję wypowiadanych słów i jestem zdziwiona, że układają się w logiczną całość.

Mówię coś o zwierzętach domowych. Pytam, czy wie, dlaczego ludzie tak je kochają. Jakub rzuca banalną odpowiedź. Zmieniam temat: dlaczego trudno nam zrozumieć, że różnimy się od siebie? Po co tworzyć nowe ugrupowania i dawać im nowe prawa? Trzeba wreszcie uświadomić sobie, że różnice kulturowe wzbogacają nasze życie i czynią je bardziej interesującym. Jakub odpowiada, że nie ma siły na rozmowy o polityce.

Zmieniam temat i opowiadam mu o akwarium, które

widziałam w szkole, kiedy odprowadzałam dzieci. Jedna rybka nerwowo krążyła wzdłuż szklanych ścian. Nie pamiętała, gdzie zaczęła swoją wędrówkę i pewnie będzie tak krążyć w nieskończoność. Lubimy obserwować rybki w akwarium, bo jesteśmy do nich podobni. Żyjemy ograniczeni szklanymi ścianami.

Jakub zapala następnego papierosa. W popielniczce są już dwa niedopałki. Dociera do mnie, że mój monolog przeciąga się, jakbym była w transie. Mam jasny umysł i czuję spokój, ale nie daję Jakubowi dojść do głosu. Pytam, o czym chciałby porozmawiać.

– Wspominałaś o jakimś zdjęciu – mówi ostrożnie.

Chyba zauważył, że znajduję się w dziwnym stanie.

Ach, tak, zdjęcie! Oczywiście, jest wypalone żelazem i ogniem na moim sercu. Zniszczyć może je tylko Bóg. Sam zobacz, sprawdź. Jest tu, na wyciągnięcie ręki. Kiedy do ciebie szłam, padły wszystkie mury odgradzające moje serce od świata.

Nie mów tylko, że nie znasz drogi. Nieraz nią szedłeś, dawniej i dziś. Początkowo sama nie wiedziałam, którędy iść, dlatego rozumiem, że odnalezienie drogi nie będzie łatwe. Jesteśmy do siebie podobni. Nie bój się, ja cię poprowadzę.

Kiedy kończę, Jakub bierze mnie delikatnie za rękę i wbija mi sztylet w serce.

– Bądźmy dorośli. Jesteś wspaniałą kobietą i masz cudowną rodzinę. Myślałaś, żeby pójść z mężem na terapię?

Przez chwilę siedzę oniemiała. Potem wstaję i idę w stronę samochodu. Bez łez, bez słowa pożegnania, bez oglądania się za siebie.

97

Nic nie czuję, o niczym nie myślę. Mijam samochód i idę dalej, właściwie nie wiem dokąd. Na końcu drogi i tak nikt na mnie nie czeka. Melancholia zmienia się w apatię. Po pięciu minutach staję przed zamkiem. Wiem, co się w nim wydarzyło. Dawno temu pewna kobieta stworzyła tu potwora. Ludzie zapomnieli, jak miała na imię.

Brama jest zamknięta, ale mogę przejść przez żywopłot. Usiądę na zimnej ławce i przypomnę sobie, co zdarzyło się tu w 1817 roku. Muszę szybko zapomnieć o tym, co mnie uskrzydlało i znaleźć sobie zupełnie nowy temat do rozmyślań.

Kiedyś zamieszkał tu Lord Byron. Wykluczony z towarzystwa we własnym kraju, wydalony z Genewy pod zarzutem urządzania orgii i upijania się w miejscach publicznych, uciekł do tego zamku, gdzie umierał z nudów, melancholii lub złości.

Odwiedził go tu inny poeta, Percy Bysshe Shelley. Przyjechał z osiemnastoletnią żoną Mary. Dołączyła do nich jeszcze jedna osoba, której nazwiska nie pamiętam.

Pewnie prowadzili uczone rozmowy o poezji, narzekali na pogodę, chłód, na mieszkańców Genewy, braci Anglików, brak herbaty i whisky. Czytali wiersze i rozpływali się we wzajemnych pochwałach.

Byli przekonani o swojej oryginalności i ważnej roli,

jaką mają do spełnienia. Postanowili, że za rok spotkają się w tym samym miejscu i każdy przywiezie nowy utwór opisujący kondycję człowieka.

Z oczywistych względów, gdy minął entuzjazm i ucichły lamenty nad opłakanym stanem ludzkości, poeci zapomnieli o złożonej obietnicy.

Rozmowom przysłuchiwała się Mary. Nikt nie zaprosił jej do udziału w zakładzie. Po pierwsze, była kobietą, po drugie, miała tę wadę, że była bardzo młoda. Dziewczynie zapadła w pamięć rozmowa poetów. Postanowiła napisać jakąś wprawkę, ot tak, dla zabicia czasu. Miała temat, musiała go tylko rozwinąć, a po napisaniu książki schować rękopis głęboko do szuflady.

Kiedy wrócili do Anglii, Percy Shelley przeczytał rękopis i zachęcił żonę, żeby go opublikowała. Wykorzystał swoją sławę i przedstawił dzieło wydawcy. Napisał też wstęp do książki. Po długich wahaniach Mary zgodziła się na publikację. Postawiła jednak warunek – jej nazwisko nie mogło pojawić się na okładce.

Pierwsze wydanie liczyło pięćset egzemplarzy i rozeszło się błyskawicznie. Mary była przekonana, że sukces zawdzięcza przedmowie Shelleya. W drugim wydaniu zgodziła się na zamieszczenie swojego nazwiska na tytułowej stronie. Od tamtej pory jej dzieło można znaleźć w księgarniach na całym świecie, a wymyślona przez nią historia od lat inspiruje pisarzy, reżyserów teatralnych i filmowych, organizatorów Halloween i balów maskowych. Niedawno pewien krytyk literacki uznał jej książkę za „najbardziej inspirujące dzieło romantyzmu, a może wręcz ostatnich dwustu lat".

Trudno powiedzieć, dlaczego tak się stało. Większość ludzi nie przeczytała jej, ale każdy o niej słyszał.

Mary Shelley opowiada historię Wiktora, młodego naukowca z Genewy. Otrzymał staranne wykształcenie, ponieważ jego rodzice uważali, że dzięki wiedzy ich syn najlepiej zrozumie świat. W dzieciństwie Wiktor widział, jak piorun uderzył w dąb. Zaczął się zastanawiać, czy z tej energii może powstać nowe życie, nad którym władzę będzie sprawował człowiek.

Jego historia jest nowożytną wersją antycznego mitu o Prometeuszu, który skradł bogom ogień, żeby pomóc człowiekowi (nikt o tym nie pamięta, ale podtytuł utworu brzmiał: „Współczesny Prometeusz"). Wiktor chce powtórzyć boski sukces i rzuca się wir pracy. Nietrudno się domyślić, że sprawy szybko wymykają się spod kontroli.

Tytuł książki: *Frankenstein*.

•

Boże! Tak rzadko o Tobie myślę na co dzień, a tak żarliwie się do Ciebie modlę w chwilach smutku. Znalazłam się tu przez przypadek, czy przywiodła mnie pod

mury zamku Twoja niewidzialna, boska dłoń?

Mary poznała Shelleya w wieku piętnastu lat. On był żonaty, ale dziewczyna przeciwstawiła się konwenansom i postanowiła zdobyć mężczyznę, który był miłością jej życia.

Miała piętnaście lat, a już wiedziała, czego chce i jak to osiągnąć! Ja mam trzydzieści jeden lat, co chwilę pragnę czegoś innego i nie umiem tego zdobyć. Chodzę na jesienne spacery, poddając się melancholii, romantycznym nastrojom. Czekam na inspirację i słowa, które same przyjdą w odpowiednim momencie.

Nie jestem Mary Shelley. Jestem Wiktorem Frankensteinem. Próbuję powołać do życia nową istotę. Będzie tak samo jak w książce – zasieję strach i spowoduję zniszczenie.

Zniknęły łzy i rozpacz. Moje serce ze wszystkiego zrezygnowało, ale ciało przyjęło ten fakt z opóźnieniem i dlatego teraz nie mogę się ruszyć. Jest jesień, słońce wcześnie zachodzi. Zapada zmierzch, a ja wciąż siedzę na ławce, wpatrzona w mury zamku. Oczami wyobraźni widzę jego dawnych mieszkańców, skandalistów z początku XIX wieku, których zachowanie oburzało genewskie mieszczaństwo. Gdzie jest piorun, który ma powołać do życia potwora? Nie ma go.

O tej porze nie ma ruchu na drodze, jest zupełnie pusto. Dzieci czekają na kolację. Mąż wie o moim stanie i zaraz zacznie się niepokoić. A ja czuję, jakbym miała przywiązaną do nogi ciężką, ołowianą kulę. Siedzę w bezruchu.

Przegrałam.

Czy powinnam przepraszać za to, że zapragnęłam niemożliwej miłości?

Nie, nie zrobię tego.

Miłość do Boga też wydaje się niemożliwa. Nigdy jej nie sprostamy, a mimo to Bóg zawsze będzie nas kochał. Kocha nas tak bardzo, że zesłał swojego jedynego syna, który pokazał nam, że miłość porusza słońce i gwiazdy.

W Liście do Koryntian święty Paweł mówi:

Gdybym mówił językami ludzi i aniołów, a miłości bym nie miał, stałbym się jak miedź brzęcząca albo cymbał brzmiący.

Wszyscy wiemy, dlaczego. Czasem słyszymy wspaniałe pomysły, jak naprawić świat. Są to jednak słowa pozbawione uczuć, Miłości. Nie poruszają nas, chociaż są logiczne i mądre.

Paweł porównuje Miłość do Proroctwa, Tajemnicy, Wiary i Miłosierdzia.

Dlaczego Miłość jest ważniejsza od Wiary?

Bo Wiara jest jedynie drogą, która prowadzi do Największej Miłości.

Dlaczego Miłość jest ważniejsza od Miłosierdzia?

Bo Miłosierdzie jest przejawem Miłości. Całość jest zawsze ważniejsza od części. Poza tym Miłosierdzie stanowi także jedną z wielu dróg, z których korzysta Miłość, żeby pomóc człowiekowi zbliżyć się do bliźniego.

Wiadomo, że na świecie jest dużo miłosierdzia bez Miłości. Co tydzień ktoś organizuje bal charytatywny. Ludzie płacą za stolik, uczestniczą w balu, bawią się, obnoszą się ze swoją biżuterią i drogimi strojami. Wracają do domu przekonani, że dzięki zebranym datkom świat stanie się lepszy, a oni pomogą uciekinierom z Somalii i głodującym w Etiopii. Nie czują się winni za okrutny spektakl cierpienia i nigdy nie pytają, dokąd trafiają ich pieniądze.

Innym, którzy nie mają kontaktów i nie dostaną zaproszenia albo nie stać ich na takie ekstrawagancje, pozostaje rzucić grosz żebrakowi na ulicy. To zdecydowanie łatwiejsze niż nie dać nic.

Jeden grosz, a jaka ulga! Dla nas to drobiazg, a żebrakowi może pomóc.

Jednak gdyby naprawdę zależało nam na jego losie, zrobilibyśmy dla tego człowieka znacznie więcej.

Albo nie zrobilibyśmy nic. Gdybyśmy nie dali mu pieniędzy, może jego nędzny widok obudziłby w nas prawdziwą Miłość.

Święty Paweł łączy Miłość z poświęceniem, a nawet z męczeństwem.

Dziś lepiej rozumiem jego słowa. Gdybym była najsławniejszą kobietą na świecie, podziwianą i pożądaną tak jak Marianne König, a nie czułabym miłości, nic bym nie miała. Nic.

Robiąc wywiady z artystami, politykami, pracownikami opieki społecznej, studentami i urzędnikami, zawsze pytam, po co pracują. Jedni mówią, że chcą mieć środki, by założyć rodzinę, inni marzą o zawodowej karierze. Kiedy nalegam i proszę, żeby rozwinęli swoją myśl, niemal wszyscy dodają, że chcą zmienić świat na lepsze.

Mam ochotę stanąć na moście Montblanc w Genewie i każdemu przechodniowi i kierowcy wręczyć napisany złotymi zgłoskami manifest następującej treści:

Chcesz pracować dla dobra ludzkości? Pamiętaj, nawet jeśli jesteś gotów w imię Boga spłonąć na stosie, a nie będzie w tobie Miłości, nic nie osiągniesz. Absolutnie nic!

Najważniejsza rzecz, jaką możemy dać światu, to światło Miłości. To jedyny uniwersalny język. Pozwala nam mówić po chińsku i posługiwać się dowolnym dialektem indyjskim. Jak większość ludzi w młodości dużo podróżowałam. Poznałam miejsca biedne i bogate. Często nie znałam języka kraju, w którym przebywałam, ale siła uniwersalnego języka Miłości sprawiała, że wszyscy mnie rozumieli.

Przesłanie Miłości przejawia się w sposobie życia, a nie w słowach.

W trzech krótkich wersach Listu do Koryntian święty Paweł mówi, że Miłość składa się z wielu elementów. Tak samo jest ze światłem. W szkole robimy eksperymenty z pryzmatem. Widzimy, że przenikający go promień słońca rozszczepia się na wszystkie kolory tęczy.

Święty Paweł pokazuje nam tęczę Miłości, tak jak pryzmat rozszczepione barwy.

Z czego składa się tęcza? Z wartości, o których słyszymy na co dzień i z którymi stykamy się każdego dnia.

Cierpliwość: *Miłość cierpliwa jest.*
Dobroć: *łaskawa jest.*
Hojność: *Miłość nie zazdrości.*
Pokora: *nie szuka poklasku, nie unosi się pychą.*
Subtelność: *nie dopuszcza się bezwstydu.*
Oddanie: *nie szuka swego.*
Tolerancja: *nie unosi się gniewem.*
Niewinność: *nie pamięta złego.*
Szczerość: *nie cieszy się z niesprawiedliwości, lecz współweseli się z prawdą.*

Wszystkie te wartości występują w naszym codziennym życiu, łączą się z teraźniejszością, przyszłością i Wiecznością.

Problem w tym, że ludzie kojarzą je jedynie z Miłością do Boga. A jak objawia się miłość do Boga? Miłością do człowieka.

Aby znaleźć pokój w niebie, trzeba poznać Miłość na ziemi. Bez niej nie jesteśmy nic warci.

Kocham i nikt mi tego nie odbierze. Kocham męża, który zawsze mnie wspierał. Wydaje mi się, że kocham mężczyznę, którego poznałam w młodości. Kiedy do niego szłam w to piękne, jesienne popołudnie, spadła ze mnie zbroja, której nie byłam już w stanie na powrót założyć. Jestem bezbronna, ale nie boję się.

Pijąc rano kawę, zwróciłam uwagę na delikatne światło za oknem. Przypomniał mi się spacer aleją i po raz ostatni zadałam sobie pytanie: czy nie tworzę prawdziwych problemów tylko po to, żeby zapełnić pustkę? Zakochałam się naprawdę czy frustracjami karmię wytwór mojej wyobraźni?

Nie. Bóg nie może być aż tak niesprawiedliwy. Nie pozwoli mi zakochać się w kimś, kto nie odwzajemnia mojego uczucia.

Czasem miłość wymaga walki. Będę walczyć, cierpliwie i konsekwentnie domagać się sprawiedliwości. Odsunę Marianne i zajmę jej miejsce. Jakub będzie mi za to wdzięczny przez resztę życia.

Nawet jeśli mnie potem zostawi, będę miała świadomość, że walczyłam do końca.

Czuję się jak nowonarodzona. Wyciągam rękę po kogoś, kto sam, z własnej woli by do mnie nie przyszedł. Jakub jest zmęczony i boi się fałszywego kroku, który złamałby mu karierę.

Na czym powinnam się teraz skoncentrować? Muszę zdjąć z Jakuba jego zbroję tak, żeby tego nie zauważył.

Po raz pierwszy w życiu umówiłam się z dealerem narkotyków!

Żyję w kraju, który dobrowolnie odizolował się od świata i jego mieszkańcy są z tego powodu szczęśliwi. Kiedy zwiedza się miasteczka w okolicy Genewy, rzuca się w oczy jedno – nie ma miejsc do parkowania. Można tylko zaparkować u znajomego w garażu.

Przekaz jest jasny – obcy człowieku, nie przyjeżdżaj tutaj. Widok jeziora w dolinie, potężne Alpy na horyzoncie, kwiaty rozkwitające wiosną na łące, złocące się winnice jesienią – to wszystko odziedziczyliśmy po naszych przodkach, którzy w spokoju żyli tu od wieków. Chcemy, żeby nadal tak było, dlatego nie przyjeżdżaj tu, obcy człowieku. Nawet jeśli urodziłeś się i wychowałeś w sąsiedniej wiosce, nie mamy ochoty ciebie gościć. Jeśli szukasz miejsca do zaparkowania, znajdź sobie większe miasto.

Jesteśmy tak odizolowani od świata, że wciąż wierzymy w groźbę wojny nuklearnej. Wszystkie nowe budynki muszą mieć schrony przeciwatomowe. Ostatnio jeden z deputowanych próbował znieść ten przepis, ale został w parlamencie przegłosowany. Być może nie będzie wojny nuklearnej, ale istnieje zagrożenie bronią chemiczną. Musimy chronić naszych obywateli. Dlatego nadal wydajemy pieniądze na budowę schronów i do czasu nadejścia apokalipsy składujemy w nich wina.

Bardzo chcemy, żeby Szwajcaria była spokojną

wyspą, ale mimo naszych starań, nie da się całkiem zamknąć granic.

Także przed narkotykami.

Rząd naszego kraju próbuje kontrolować miejsca, gdzie sprzedaje się narkotyki, ale przymyka oczy na tych, którzy je kupują. Żyjemy w raju, co nie znaczy, że nie stresują nas uliczne korki, obowiązki, pilne terminy i nuda. Narkotyki pobudzają do działania (kokaina) i łagodzą stres (haszysz). Dlatego dajemy dobry przykład światu, jednocześnie zabraniając i tolerując.

Kiedy problem wymyka się spod kontroli, „przypadkiem" zamyka się jakiegoś celebrytę lub osobę publiczną z powodu posiadania „substancji odurzających", jak mawiają dziennikarze. Media opisują przypadek, aby zniechęcić młodzież i pokazać obywatelom, że rząd nad wszystkim czuwa i złapie każdego, kto nie przestrzega prawa!

Takie sprawy wychodzą na jaw nie częściej niż raz w roku. Ale ja nie wierzę, żeby tak rzadko ktoś zdecydował się przerwać nudę i zejść do przejścia podziemnego pod mostem Montblanc, żeby kupić towar od przesiadujących tam dealerów. Gdyby faktycznie ludzie się bali, przejście świeciłoby pustkami.

Idę do przejścia podziemnego. Rodziny z dziećmi wchodzą i wychodzą, a podejrzane typy siedzą pod ścianą. Nikt ich nie zaczepia, oni też nikogo nie niepokoją, chyba że widzą parę młodych cudzoziemców albo mężczyznę w garniturze, który szybko zbiega po schodach, idzie do drugiego wyjścia, po czym wraca i nerwowo szuka ich wzrokiem.

Za pierwszym razem przechadzam się wolno, piję wodę mineralną. Zaczepiam nieznajomego i narzekam na pogodę. Ten nie odpowiada, zatopiony we własnych myślach. Idę z powrotem i zauważam mężczyzn pod ścianą. Wymieniamy spojrzenia. Dziś jest wyjątkowo dużo ludzi, mimo że to pora obiadu i mieszkańcy miasta powinni siedzieć w drogich restauracjach, których w tej okolicy nie brakuje. Powinni jeść, prowadzić przy stole rozmowy o interesach albo podrywać cudzoziemki szukające pracy.

Odczekuję chwilę i po raz trzeci przemierzam tunel. Znów rzucam spojrzenie jednemu z mężczyzn. Wtedy on wstaje i lekkim skinieniem głowy daje znać, że mam iść za nim. Nigdy nie przypuszczałam, że znajdę się w takiej sytuacji, ale ten rok jest tak inny od poprzednich, że niczemu się już nie dziwię.

Idę za nim, zachowując kamienny wyraz twarzy.

Po kilku minutach dochodzimy do Jardin Anglais. Mijamy turystów robiących sobie zdjęcia przy zegarze z kwiatów, wizytówce miasta. Przechodzimy obok przystanku tramwaju, którego trasa prowadzi wzdłuż jeziora. Wszystko to przypomina Disneyland. Podchodzimy do balustrady i patrzymy na jezioro. Wyglądamy jak para turystów podziwiająca symbol Genewy, wielką fontannę Jet d'Eau, z której woda tryska na wysokość stu metrów.

Mężczyzna czeka, aż coś powiem, ale ja boję się odezwać. Próbuję zachowywać się swobodnie, choć jestem zdenerwowana. Milczę. Wreszcie dealer pyta:

– Hasz, amfa, kwas, biała dama?

Tego się nie spodziewałam. Dealer orientuje się, że ma do czynienia z nowicjuszką. Nie zdałam egzaminu.

Wybucha śmiechem. Myśli, że jestem z policji?

– Nie – odpowiada. – Policjant od razu wiedziałby, o czym mówię.

Tłumaczę, że to mój pierwszy raz.

– Widać. Kobieta w takim stroju nigdy sama nie przyszłaby po towar. Mogłaś poprosić siostrzeńca albo kolegę z pracy, żeby odpalili ci działkę. Zwykle dobijam targu po drodze i nie tracę czasu. Ale ciebie chciałem przyprowadzić tutaj, żeby dowiedzieć się, czego dokładnie potrzebujesz. Będę mógł ci lepiej doradzić.

Nie traci czasu. Gdyby nadal stał w przejściu podziemnym, pewnie umierałby z nudów. Przeszłam trzy razy tam i z powrotem i nie widziałam żadnych klientów.

– Dobra. Zapytam inaczej: haszysz, amfetamina, LSD czy kokaina?

Pytam, czy ma crack albo heroinę. Mówi, że te narkotyki są zabronione. Mam ochotę powiedzieć, że wszystkie narkotyki są nielegalne, ale powstrzymuję się.

Tłumaczę, że to nie dla mnie, tylko dla nieprzyjaciela.

– Chcesz się zemścić? Chcesz kogoś zabić? Chcesz, żeby przedawkował? – pyta i zmienia ton. – Przepraszam panią, niech sobie pani poszuka kogoś innego.

Odwraca się i chce odejść, ale powstrzymuję go i proszę, żeby mnie wysłuchał. Domyślam się, że moja determinacja podwoi cenę towaru.

Tłumaczę, że ta osoba nie bierze narkotyków. Jest przeszkodą do mojego szczęścia i dlatego chcę zastawić na nią pułapkę.

– To wbrew Bogu.

No nie! Dealer rozprowadzający uzależniające i zabójcze substancje próbuje mnie nawrócić.

Opowiadam mu moją „historię". Jestem mężatką od dziesięciu lat, mam dwoje wspaniałych dzieci. Korzystamy z mężem z tego samego modelu komórki. Dwa miesiące temu przez przypadek wpadł mi w ręce jego telefon.

– Nie używacie PIN-ów?

Oczywiście, że nie. Ufamy sobie. Zresztą nie pamiętam, jak to dokładnie było. Może jego telefon nie był wtedy zablokowany. W każdym razie znalazłam czterysta wiadomości i kilka fotografii pięknej, uśmiechniętej blondynki. Zachowałam się nierozsądnie, zrobiłam mężowi awanturę. Spytałam go, kim jest ta kobieta. Przyznał się do romansu i powiedział, że jest zakochany. Był zadowolony, że sama to odkryłam i nie musiał przeprowadzać ze mną trudnej rozmowy.

– Takie rzeczy się zdarzają.

Z kaznodziei dealer zmienił się w terapeutę! Brnę dalej. Wymyślanie tego wszystkiego na poczekaniu coraz bardziej mnie ekscytuje. Kazałam mężowi wyprowadzić się z domu. Zgodził się i następnego dnia opuścił mnie i nasze dzieci, żeby zamieszkać z nową miłością. Jednak kochanka przyjęła go niechętnie.

Wolała mieć romans z żonatym mężczyzną niż dostać męża z odzysku.

– Kobiety! Trudno was zrozumieć.

Zgadzam się. Opowiadam dalej. Kochanka oznajmiła mężowi, że nie chce z nim mieszkać. Szybko z nim zerwała. Jak to zwykle bywa w takich sytuacjach, mąż wrócił do domu i błagał, żebym mu wybaczyła. Wybaczyłam. Tak naprawdę chciałam, żeby wrócił. Kocham go i nie umiałabym bez niego żyć. Niestety po kilku tygodniach zauważyłam, że bardzo się zmienił. Nie jest już tak lekkomyślny i nie zostawia komórki. Nie mogę sprawdzić, czy znów spotyka się z kochanką. Przestałam mu ufać. A bizneswoman o blond włosach, powabna i mająca władzę, chce odebrać mi to, co mam najcenniejszego – moją miłość. Czy pan wie, co to miłość?

– Rozumiem, do czego pani zmierza, ale to niebezpieczna gra.

Jak może cokolwiek rozumieć, jeśli nie zna końca historii?

– Rozumiem. Chce pani przygotować zasadzkę. Nie mam tego, o co pani prosi. Do zrealizowania planu potrzebuje pani co najmniej 30 gramów kokainy.

Mężczyzna wyjmuje telefon komórkowy, wystukuje coś na nim i pokazuje mi ekran, na którym pojawia się strona CNN wraz z cenami narkotyków. Jestem zdziwiona, ale po chwili orientuję się, że informacja pochodzi z artykułu o działalności karteli narkotykowych.

– Pięć tysięcy franków szwajcarskich. Warto tyle wydać? Nie lepiej pójść do tej kobiety i zrobić jej awanturę? Poza tym, z tego co pani mówi, wynika, że to nie jej wina.

Kaznodzieja najpierw zmienił się w terapeutę, a teraz w doradcę finansowego, który ostrzega mnie przed niepotrzebnymi wydatkami.

Mówię, że podejmę to ryzyko. Wiem, że mam rację. A poza tym dlaczego 30 gramów, a nie 10?

– To minimalna ilość, za jaką można kogoś zamknąć

pod zarzutem handlu narkotykami. Kara jest wyższa dla dealera niż dla narkomana. Naprawdę chce pani to zrobić? W drodze do tej kobiety mogą panią zgarnąć. Trudno będzie wytłumaczyć, skąd wzięły się u pani narkotyki.

Czy wszyscy dealerzy są tacy jak ten mężczyzna, czy też trafiłam na kogoś wyjątkowego? Chciałabym z nim jeszcze porozmawiać. Jest bystry i widać, że dużo w życiu przeszedł. Każe mi przyjść za pół godziny z gotówką. Idę do bankomatu. Jaka ja jestem naiwna. Przecież żaden dealer nie ma przy sobie takiej ilości narkotyków. Od razu by ich zamknięto!

Wracam. Mężczyzna już czeka. Dyskretnie wręczam mu pieniądze, a on wskazuje mi znajdujący się obok kosz na śmieci.

– Niech pani uważa, żeby ta kobieta przez pomyłkę nie zażyła całej dawki. To byłby koniec.

Niesamowity człowiek, myśli o wszystkim. Gdyby stał na czele wielkiej korporacji, zarabiałby krocie.

Chcę coś powiedzieć, ale już go nie ma. Patrzę w stronę kosza na śmieci. A jak nic tam nie znajdę? Niemożliwe, takim ludziom zależy na dobrej reputacji, nie dopuściłby się oszustwa.

Podchodzę do kosza, ostrożnie rozglądając się na boki. Wyjmuję szarą kopertę, wkładam ją do torby, natychmiast łapię taksówkę i jadę do redakcji. Znów jestem spóźniona.

•

Mam dowód zbrodni. Wydałam fortunę na coś, co prawie nic nie waży. Ale skąd pewność, że ten człowiek mnie nie oszukał? Muszę to sprawdzić.

Wypożyczam kilka filmów, których głównymi bohaterami są narkomani. Mąż jest zdziwiony, skąd to nagłe zainteresowanie.

– Chyba nie zamierzasz tego brać?

Oczywiście, że nie! Przygotowuję się do napisania artykułu. Przy okazji – jutro wrócę później. Piszę tekst o zamku, w którym zatrzymał się Lord Byron. Chcę tam pojechać. Mówię mu o tym wcześniej, żeby się nie martwił.

– Nie martwię się. Wydaje mi się, że od wyjazdu do Nyon jesteś w lepszym nastroju. Powinniśmy częściej wyjeżdżać. Może wybierzemy się gdzieś na sylwestra? Poprosimy moją mamę, żeby zaopiekowała się dziećmi. Wiesz? Zasięgnąłem rady w naszej sprawie.

„Sprawa" to według niego moja depresja. Ciekawe, z kim rozmawiał? Z kolegą, który po kilku głębszych wygada się przy wspólnych znajomych?

– Nie. Rozmawiałem z terapeutą.

Tylko nie to! O terapii małżeńskiej już raz usłyszałam w klubie golfowym. Zaczynam podejrzewać, że Jakub jest w zmowie z moim mężem.

– Być może jesteś w złej formie z mojej winy. Poświęcałem ci za mało czasu. Rozmawiamy tylko o pracy albo o rzeczach, które trzeba załatwić. W naszym życiu brakuje romantyzmu, bez którego szczęście ulatuje. Nie można zajmować się tylko dziećmi. Korzystajmy z życia, póki jesteśmy młodzi. Może wybierzemy się do Interlaken? Pamiętasz? Pojechaliśmy tam na wycieczkę, kiedy się poznaliśmy. Wejdziemy na Jungfrau, będziemy podziwiać widoki.

Terapeuta! Tego tylko brakowało.

Po rozmowie z mężem przypomniało mi się przysłowie: „Prawdziwym ślepcem jest ten, kto nie chce widzieć".

Jak mógł pomyśleć, że mnie zaniedbuje? Skąd ten idiotyczny pomysł? Przecież to ja jestem oziębła i nie chcę się z nim kochać.

Wypaliła się w nas namiętność, która cementuje związek bardziej niż plany na przyszłość czy rozmowy o dzieciach. Kiedy mąż mówił o Interlaken, przypomniały mi się popołudniowe spacery i długie poranki w hotelowym pokoju, gdzie godzinami kochaliśmy się, popijając tanie białe wino.

Jeśli kogoś kochamy, chcemy poznać nie tylko duszę, ale i ciało ukochanego. Czy to takie ważne? Nie wiem, pewnie przemawia przez nas instynkt. W tej kwestii trudno przewidzieć własne reakcje albo wyznaczać sobie granice. Najwspanialsze jest odkrywanie, kiedy onieśmielenie ustępuje miejsca śmiałości, a ciche jęki zmieniają się w krzyki i przekleństwa. Tak, przekleństwa. Kiedy kocham się z mężem, chciałabym słyszeć „niecenzuralne" słowa. Zamiast tego padają pytania: „nie za mocno?", „nie za szybko?", „nie za wolno?". To bardzo krępujące, chociaż może w pierwszej fazie związku niezbędne i świadczy o wzajemnym szacunku. Aby stworzyć idealną, intymną więź, trzeba ze sobą dużo rozmawiać, bo nie ma nic gorszego od frustrującego milczenia i pruderii.

Po ślubie próbujemy zachowywać się tak jak w okresie narzeczeństwa. W moim przypadku trwało to do pierwszej ciąży, czyli skończyło się dość szybko. Wtedy zdaliśmy sobie sprawę, że wszystko się zmieniło.

• Seks, owszem, ale tylko wieczorem, najlepiej przed snem. Tak jakby dla obu stron było oczywiste, że stał się obowiązkiem spełnianym niezależnie, czy ktoś ma na niego ochotę, czy nie. Przyznanie się małżonka, że chce więcej seksu, może wzbudzić podejrzenia. Lepiej więc nie zakłócać ustalonego rytuału.

• Jeśli dziś seks nie był udany, nie należy nic mówić, bo jutro może być lepiej. W końcu jesteśmy małżeństwem, mamy przed sobą całe życie.

• Kiedy nie pozostaje nic do odkrycia, trzeba czerpać przyjemność z tego, co się ma. To tak, jakby codziennie jeść ten sam rodzaj czekolady. Nie jest to żadne poświęcenie, ale korci, żeby spróbować czegoś nowego.

W sex-shopach można kupić różne zabawki, można pójść do klubu swingersów, zaprosić do łóżka trzecią osobę, zabawić się w niekonwencjonalny sposób podczas orgii u nowoczesnych, otwartych znajomych.

Dla mnie to zbyt ryzykowne. Nie wiadomo, co z tego wyniknie, dlatego lepiej nic nie zmieniać.

I tak mija czas. Podczas rozmów z koleżankami padają kolejne mity: jednoczesny orgazm kochanków, zgranie się partnerów w czasie, jęki przy wzajemnych pieszczotach. Jak mam odczuwać rozkosz, kiedy muszę zwracać uwagę na to, co robię i co czuje partner? Bardziej naturalne jest najpierw samemu podniecić się, zatracić w rozkoszy, a potem dostarczyć przyjemności kochankowi.

Jednak zwykle postępujemy inaczej. Próbujemy idealnie zgrać nasze ciała, co z góry skazane jest na niepowodzenie.

Aha, i jeszcze trzeba uważać, żeby jękami nie obudzić dzieci.

A właściwie to dobrze, że skończyłeś, bo jestem taka zmęczona. Kocham cię! Dobranoc.

Wreszcie przychodzi dzień, kiedy zdajemy sobie sprawę, że trzeba przerwać rutynę. Jednak zamiast iść do klubu swingersów, sex-shopu pełnego różnych gadżetów, których działania nie jesteśmy w stanie rozgryźć, albo na orgię do szalonych znajomych decydujemy się... spędzić dzień bez dzieci.

Planujemy romantyczną podróż pozbawioną niespodzianek. Wszystko będzie zaplanowane i dobrze zorganizowane.

To się nazywa świetny pomysł.

Stworzyłam adres e-mailowy pod fałszywym nazwiskiem. Mam narkotyki z dobrego źródła (przysięgam, że nigdy więcej tego nie zrobię, ale czuję się wspaniale).

Już wiem, jak mogę wejść niezauważona na teren uniwersytetu i podrzucić Marianne kompromitujący dowód. Najtrudniejsza część planu to wybrać taką porę, żeby zbyt wcześnie nie otworzyła szuflady. Przypomniał mi o tym dealer, kazał zachować ostrożność.

Nie mogę prosić o pomoc studentów, muszę działać sama. Na razie będę podsycać romantyczne wizje mojego męża i wysyłać Jakubowi wyznania miłosne.

Rozmowa z dealerem podsunęła mi pewien pomysł, który zaczynam realizować. Każdego dnia będę wysyłać Jakubowi esemesa, zapewniając go o moim uczuciu i prosząc o następne spotkanie. Co to da? Jakub odczuje moje wsparcie i zrozumie, że nie obraziłam się na niego po naszym spotkaniu w klubie golfowym. Jeśli to nic nie da, jest nadzieja, że któregoś pięknego dnia komórka Jakuba wpadnie w ręce Madame König.

Kopiuję z internetu jakieś mądre zdanie i wciskam klawisz „wyślij".

Od wyborów w Genewie nie zdarzyło się nic ciekawego. Gazety nie cytują wypowiedzi Jakuba i nie mam pojęcia, co się z nim dzieje. Ostatnio miasto żyje jedną sprawą: organizować czy nie organizować sylwestra?

Niektórzy deputowani twierdzą, że wiąże się to

z „niebotycznymi" wydatkami. Kazano mi sprawdzić, co dokładnie kryje się pod słowem „niebotyczne". Udałam się do urzędu miasta, gdzie podano mi konkretną kwotę: 115 tysięcy franków szwajcarskich. Skąd je wezmą? Z naszych podatków – na przykład moich albo koleżanki, która siedzi przy sąsiednim biurku.

Ściągając pieniądze od dwóch dobrze, choć nie najlepiej, zarabiających obywatelek, urzędnicy mogą uszczęśliwić tysiące ludzi. Ale tego nie zrobią, bo muszą oszczędzać. Przecież nie wiadomo, jaka czeka nas przyszłość. I tak powoli zapełnia się miejska kasa. To nie znaczy, że zimą nie zabraknie soli, którą sypie się na ulice, żeby stopić lód i zapobiec wypadkom. Albo że urzędnicy będą pamiętać o renowacji chodników i nie wydadzą pieniędzy na bezsensowne remonty, których celu nikt nie rozumie.

Szczęście poczeka. Najważniejsze to zachować pozory. Nikt nie może wiedzieć, że jesteśmy bogaci.

Jutro muszę wcześnie wstać do pracy. Jakub nie odpowiada na moje e-maile i esemesy. To zbliżyło mnie do męża, ale nie wolno mi zapominać o zemście.

Co prawda potrzeba odegrania się na Marianne nieco osłabła, ale nie lubię zostawiać niedokończonych spraw. Życie to podejmowanie decyzji i godzenie się z konsekwencjami. Długo unikałam odpowiedzialności i być może dlatego znów zaczęłam budzić się nad ranem i wpatrywać w sufit.

Wysyłanie wiadomości mężczyźnie, który mnie nie chce, jest stratą czasu i pieniędzy. Przestało mnie obchodzić jego szczęście. Prawdę mówiąc, teraz tylko chcę, żeby był bardzo nieszczęśliwy. Pragnęłam obdarować go tym, co mam najdroższego, a on zasugerował terapię małżeńską.

Dlatego zrobię wszystko, żeby ta jędza wylądowała w więzieniu, nawet jeśli potem będę smażyć się w piekle.

Czy naprawdę muszę to robić? Skąd mi przyszedł do głowy ten pomysł? Jestem strasznie zmęczona, a nie mogę zmrużyć oka.

„Mężatki częściej mają depresję niż kobiety niezamężne" brzmi nagłówek w dzisiejszej gazecie.

Nie przeczytałam artykułu. Jaki dziwny jest ten rok, bardzo dziwny.

118

Moje wspaniałe życie toczy się zgodnie z planem, który sobie obmyśliłam jako nastolatka. Jestem szczęśliwa i... nagle coś się dzieje.

Przypomina to wirus komputerowy. Rozpoczyna się proces zniszczenia, powolny, lecz nieodwracalny. Operacje na komputerze zabierają więcej czasu, niektóre programy coraz dłużej się otwierają, znikają pliki – zdjęcia, teksty.

Szukamy przyczyny i nic nie znajdujemy. Pytamy znajomych, którzy się na tym znają, ale oni też nie potrafią nic na to poradzić. Komputer gubi dane, działa coraz wolniej, w końcu tracimy nad nim kontrolę i opanowuje go niewidzialny wirus. Oczywiście możemy kupić nowy komputer, ale jest ryzyko, że stracimy wszystkie dane pieczołowicie zbierane i porządkowane przez lata.

To niesprawiedliwe.

Nie mam żadnego wpływu na to, co się wokół mnie dzieje. Absurdalna namiętność do mężczyzny, który ostatnio jest przekonany, że go prześladuję. Związek z człowiekiem, który powinien być mi bliski, a nie okazuje przy mnie żadnych uczuć ani słabości. Chęć zniszczenia osoby, którą widziałam raz w życiu i wiara, że to pomoże mi wyzwolić się od własnych koszmarów.

Ludzie mówią, że czas goi rany, ale to nieprawda.

Czas zabiera nam wszystko, co dobre i co chcielibyśmy jak najdłużej zachować w pamięci. Za to ciągle przypomina, jaka jest rzeczywistość. „Nie łudź się, taka jest prawda", szepcze nam do ucha. Czytam książki, które powinny podnieść mnie na duchu, ale one niczego nie rozwiązują. Mam w duszy dziurę, przez którą wycieka życiowa energia, pozostawiając pustkę. Żyję w tym stanie od miesięcy i nie wiem, jak wyjść z pułapki.

Jakub namawia mnie na terapię małżeńską. Redaktor naczelny uważa mnie za świetną dziennikarkę. Dzieci widzą, że się zmieniłam, ale o nic nie pytają. Mąż zaczął mnie rozumieć, ale dopiero gdy poszliśmy do restauracji i otworzyłam przed nim serce.

Biorę iPada z nocnego stolika. Mnożę 365 przez 70. To daje 25 550. Tyle dni przeciętnie żyje człowiek. Ile z nich zmarnowałam?

Wokół wszyscy się skarżą. „Pracuję osiem godzin dziennie, a jeżeli dostanę awans, będę pracować dwanaście". „Odkąd wyszłam za mąż, nie mam czasu dla siebie". „Szukałem Boga, a wpadłem w nałóg chodzenia na msze i beznamiętnego uczestniczenia w obrzędach".

Wszystko, co w młodości z entuzjazmem odkrywamy – miłość, praca, wiara – z czasem zaczyna uwierać jak gorset.

Jest tylko jeden sposób, żeby tego uniknąć – miłość. To ona niewolnika zmienia w człowieka wolnego.

Niestety teraz nie jestem w stanie kochać. Czuję nienawiść.

Wiem, że to absurd, ale nienawiść nadaje mojemu życiu sens.

Jadę na uczelnię, gdzie Marianne wykłada filozofię. Ku mojemu zdziwieniu budynek, w którym pracuje, okazuje się aneksem uniwersyteckiego szpitala. Czyżby te słynne wykłady, o których czytałam w internecie, były zwykłymi zajęciami fakultatywnymi?

Zaparkowałam przed supermarketem i przeszłam ostatni kilometr. Kampus to kilka niskich zabudowań w rozległym parku. Pośrodku znajduje się staw, obok słup z siedmioma drogowskazami. Wśród nich widzę nazwy pozornie nie powiązanych ze sobą instytucji: oddział geriatryczny i psychiatryczny. Ten ostatni mieści się w pięknym gmachu z początku XX wieku. To tam uczą się przyszli psychiatrzy, pielęgniarki, psycholodzy i psychoterapeuci z całej Europy.

Podchodzę do dziwnej konstrukcji przypominającej ogrodzenie na końcu pasa startowego. Dopiero po chwili zauważam tabliczkę. To rzeźba zatytułowana „Przejście 2000", „wizualna muzyka", kilka barier z czerwonymi światełkami. Zastanawiam się, czy autorem jest któryś z pacjentów szpitala, ale okazuje się, że to dzieło sławnej rzeźbiarki.

Szanuję sztukę, ale czasem mam wrażenie, że świat zwariował.

Zbliża się pora obiadu, jedyna wolna chwila w ciągu dnia pracy. Najciekawsze rzeczy w moim życiu zawsze dzieją się w przerwie obiadowej – spotkania z przyjaciółmi, politykami, „informatorami", dealerami. O tej porze sale wykładowe na pewno są puste. Nie mogę pójść do stołówki, gdzie przy stole siedzi Marianne, a raczej Madame König. Wyobrażam sobie, że co chwilę odrzuca w tył swoje pięknie wymodelowane blond włosy. Obserwujący ją studenci zastanawiają się, jak ją uwieść, a studentki zazdroszczą jej figury, podziwiają inteligencję i dobry gust.

Idę do recepcji i pytam o salę Madame König. Dowiaduję się, że pani König nie ma, bo zaczęła się przerwa obiadowa (jakbym nie wiedziała). Mówię, że nie chcę jej przeszkadzać, więc poczekam przed salą.

Jestem skromnie ubrana, nie rzucam się w oczy. Trudno będzie mnie zapamiętać. Jedyny podejrzany szczegół to przeciwsłoneczne okulary w ten wyjątkowo pochmurny dzień i widoczny spod nich rąbek plastra opatrunkowego. Niech recepcjonistka pomyśli, że miałam operację plastyczną.

Idę w kierunku sali wykładowej Marianne. Zaskakuje mnie mój własny spokój. Wydawało mi się, że będę trząść się ze zdenerwowania, bałam się, że zrezygnuję i ucieknę. Ale nie, czuję się swobodnie i pewnie. Jeśli kiedyś będę musiała opisać ten dzień, przywołam w pamięci Mary Shelley i Wiktora Frankensteina. Postępuję jak oni, to znaczy łamię zasady, przerywam nudę życia i szukam wyzwań. Rezultat – tworzę potwora, który kompromituje niewinnych i ratuje skompromitowanych.

Wszystko ma swoją ciemną stronę. Każdy chce doświadczyć władzy absolutnej. Czytałam o torturach stosowanych podczas wojen. W człowieku, który ma okazję zamanifestować swoją władzę, budzi się potwór, ale wystarczy, że przekroczy próg domu, staje się znów czułym ojcem i przykładnym mężem.

Pamiętam, jak kiedyś mój ówczesny chłopak poprosił mnie, żebym przypilnowała jego pudla. Nie cierpiałam tego psa. Był moim rywalem w walce o uczucie ukochanego mężczyzny. A ja chciałam mieć wszystko.

Tego dnia postanowiłam zemścić się na głupim psie, który absolutnie nic nie miał do zaoferowania ludzkości, a mimo to swoją biernością budził miłość i czułość. Zaczęłam go dręczyć w taki sposób, żeby nie zostawić śladów. Dźgałam go agrafką przyczepioną do szczotki. Pies skamlał, szczekał, a ja się nad nim znęcałam, dopóki sama się nie zmęczyłam.

Kiedy mój chłopak wrócił do domu, objął mnie i przytulił. Kochaliśmy się namiętnie jak gdyby nigdy nic. Psy nie mówią.

Przypomniałam sobie tę historię w drodze do sali wykładowej Madame König. Jak to możliwe, że jestem zdolna do takich rzeczy? To proste, każdy jest do tego zdolny. Widziałam kochających mężów, którzy tracili panowanie nad sobą, bili żony, a potem szlochając błagali o przebaczenie.

Jesteśmy zwierzętami, dlatego trudno zrozumieć nasze zachowanie.

Ale po co krzywdzić Marianne? Jedyną jej winą jest to, że publicznie upokorzyła mnie na bankiecie. W jakim celu wymyśliłam cały ten plan, narażam się, kupuję narkotyki i chcę podrzucić je do jej biurka?

Dlatego, że Marianne ma to, czego ja nie zdobyłam – uwagę i miłość Jakuba.

Czy to nie wystarczy? Gdyby tak było, pewnie 99,9 procent ludzi knułoby spiski i szukało sposobów, żeby się nawzajem zniszczyć.

Robię to, bo mam dość użalania się nad sobą. Z powodu bezsennych nocy tracę rozum i dobrze mi w tym szaleństwie. Jestem pewna, że nie zostanę zdemaskowana. Muszę uwolnić się od obsesyjnych myśli. Jestem poważnie chora, ale nie ja jedna. Książka *Frankenstein* wciąż jest popularna, dlatego że ludzie widzą siebie zarówno w naukowcu, jak i w potworze.

Zatrzymuję się. „Jestem poważnie chora". To całkiem możliwe. Powinnam jak najszybciej stąd wyjść i udać się do lekarza. Dobrze, pójdę, ale najpierw muszę doprowadzić do końca to, co zaczęłam, nawet jeśli potem lekarz zawiadomi policję. Jestem pewna, że dochowa tajemnicy zawodowej i nie poda mojego nazwiska, a jednocześnie zaświadczy o niewinności Marianne.

Zbliżam się do sali. Przywołuję w pamięci wszystkie argumenty, które przyszły mi do głowy i bez wahania wchodzę do środka.

Pierwsza rzecz, jaką widzę, to stół bez szuflad. Drewniany blat na toczonych nogach. Na nim podpórka do książek, aktówka i nic więcej.

Mogłam się tego spodziewać. Odczuwam jednocześnie ulgę i rozczarowanie.

Opustoszały korytarz powoli znów się zapełnia. Studenci wracają na zajęcia. Wychodzę, nie oglądając się za siebie. Idę korytarzem w kierunku, skąd dobiega gwar. Na końcu korytarza znajduję drzwi. Otwieram je i wychodzę wprost na dom starców. Budynek stoi na niewielkim wzniesieniu, ma ładną elewację i zapewne świetnie działające ogrzewanie. Wchodzę do środka, idę do recepcji i podaję wymyślone naprędce nazwisko. Dowiaduję się, że nie ma tu takiej osoby. Ale pewnie znajduje się w innym domu spokojnej starości. Ze wszystkich miast na świecie w Genewie jest ich chyba najwięcej. Pielęgniarka proponuje, że pomoże mi znaleźć pacjenta, którego szukam. Mówię, że nie trzeba, ale ona nalega.

– To dla mnie żaden kłopot.

Godzę się, żeby nie budzić podejrzeń. Dziewczyna w skupieniu patrzy w komputer, a ja biorę leżącą na kontuarze książkę.

– To bajki dla dzieci – wyjaśnia pielęgniarka, podnosząc wzrok znad komputera. – Pacjenci je uwielbiają.

To zrozumiałe. Otwieram na chybił trafił.

Była sobie myszka, która bardzo bała się kota. Czarodziejowi zrobiło się żal myszki i zmienił ją w kota. Kot wkrótce zaczął bać się psa. Wtedy czarodziej zmienił go w psa.

Piesek zaczął bać się tygrysa. Wyrozumiały czarodziej użył swych tajemnych mocy i zmienił go w tygrysa. Wkrótce tygrys zaczął bać się myśliwego. Czarodziej poddał się i przemienił tygrysa w myszkę.

– Nie mogę ci pomóc. Nie zrozumiałaś, na czym polegała twoja przemiana. Lepiej, żebyś została tym, kim zawsze byłaś.

Pielęgniarka przeprasza, ale nie znalazła nazwiska nieistniejącego pacjenta. Dziękuję i zamierzam wyjść. Jednak dziewczyna nie chce mnie puścić. Widocznie ma ochotę z kimś porozmawiać.

– Uważa pani, że operacja plastyczna pomaga? – zagaduje.

Operacja? Ach, tak. Przypominam sobie o plastrach pod okularami.

– Większość naszych pensjonariuszek przeszła operacje plastyczne, ale pani bym te zabiegi odradzała. To burzy harmonię między ciałem i duszą.

Nie prosiłam o radę, ale pielęgniarka najwyraźniej ma poczucie misji.

– Starość jest najtrudniejsza dla ludzi, którzy łudzą się, że mogą zatrzymać upływ czasu.

Pytam dziewczynę, skąd jest.

– Z Węgier.

Jasne. Żaden Szwajcar nie podzieliłby się ze mną swoją opinią, gdybym go o to nie poprosiła.

Dziękuję za pomoc i wychodzę. Ściągam okulary i odklejam plastry. Przebranie sprawdziło się, ale plan się nie powiódł. Kampus ponownie opustoszał. Studenci uczą się, jak należy myśleć, dbać o innych i zmuszać ich do myślenia.

Idę na długi spacer po kampusie. Potem wracam do miejsca, gdzie zostawiłam samochód. Z daleka widzę budynek szpitala psychiatrycznego. Może powinni mnie tam zamknąć?

125

Dzieci już w łóżkach, a my z mężem też szykujemy się do snu. Pytam go, czy wszyscy zachowujemy się tak samo.

– To znaczy jak?

Raz jesteśmy w doskonałym humorze, innym razem wpadamy w rozpacz.

– Chyba tak. Cały czas kontrolujemy się, żeby nie uwolnić potwora, który czai się w ukryciu.

Ma rację.

– Nigdy nie jesteśmy tacy, jakimi chcielibyśmy być. Dostosowujemy się do oczekiwań otoczenia. Jesteśmy tacy, jakimi chcą nas widzieć rodzice. Boimy się ich zawieść i bardzo pragniemy być kochani. Dlatego tłumimy w sobie to, co najlepsze. Z czasem nasze wewnętrzne światło zmienia się w potwora z koszmarów. Żałujemy rzeczy, których nie zrobiliśmy, i niewykorzystanych okazji.

Kiedyś w psychiatrii nazywano ten stan maniakalno-depresyjnym, ale z powodu poprawności politycznej zaczęto używać określenia „zaburzenia bipolarne". Skąd ta nazwa? Czy biegun północny tak bardzo różni się od południowego? Zresztą podejrzewam, że ta przypadłość dotyczy niewielkiej grupy ludzi.

– Masz rację. Niewielu ludzi posiada podwójną osobowość, ale jestem przekonany, że w każdym drzemie potwór.

Przykład? Kobieta, która jedzie na uniwersytet, żeby wrobić niewinną osobę, tylko dlatego że z niewyjaśnionego powodu zapałała do niej nienawiścią. Ta sama kobieta jest kochającą, ciężko pracującą matką, która poświęca się rodzinie, chociaż nie ma pojęcia, skąd czerpie siłę do tej miłości.

– Pamiętasz doktora Jekylla i pana Hyde'a?

To kolejna książka, która jak *Frankenstein* nieprzerwanie cieszy się popularnością od pierwszego wydania. Robert Louis Stevenson napisał *Doktora Jekylla i pana Hyde'a* w trzy dni. Historia jest podobna. Akcja toczy się w dziewiętnastowiecznym Londynie. Psychiatra Henry Jekyll wierzy, że w każdym człowieku kryje się dobro i zło. Zamierza udowodnić swoją teorię, którą wszyscy wyśmiewają, a szczególnie ojciec jego narzeczonej Beatrix. Po wielu godzinach spędzonych w laboratorium lekarz tworzy miksturę i nie chcąc narażać innych, sam ją wypija.

W ten sposób budzi w sobie demona, którego nazywa panem Hyde'em. Jekyll wierzy, że potrafi nad nim zapanować, ale wkrótce okazuje się, że był w błędzie. Kiedy w człowieku budzi się zło, opanowuje go bez reszty.

Ta prawda dotyczy każdego z nas. Tak jest na przykład z tyranami. Na początku przyświecają im szczytne ideały, ale z czasem, zaślepieni chęcią realizacji swoich planów, ulegają najgorszym instynktom i sieją terror.

Czuję zdenerwowanie i strach. Czy grozi to każdemu z nas?

– Nie. Tylko niektórzy ludzie mają kłopot z odróżnieniem dobra od zła.

Nie jestem pewna, czy rzeczywiście dotyczy to jakiejś garstki. Przypomina mi się szkoła. Miałam nauczyciela, który potrafił okazać wielką dobroć, ale czasem nagle zmieniał się diametralnie, wprowadzając nas w osłupienie. Uczniowie bali się go jak ognia, ponieważ trudno było przewidzieć, w jakim nastroju przyjdzie do szkoły.

Jednak nikt się nie skarżył, bo nauczyciel zawsze ma rację. Podejrzewaliśmy, że nasz profesor ma jakieś problemy osobiste i wierzyliśmy, że niebawem wszystko wróci do normy. Aż któregoś dnia „pan Hyde" stracił panowanie nad sobą, pobił ucznia i wyleciał ze szkoły.

Od tamtej pory jestem ostrożna w stosunku do ludzi, którzy są zbyt serdeczni.

– Jak *tricoteuses*.

Kobiety z gminu, które domagały się sprawiedliwości i chleba dla biednych. Piętnowały nieprawości, jakich dopuszczał się Ludwik XVI. W okresie Wielkiego Terroru na placu straceń zajmowały najlepsze miejsca w pierwszym rzędzie i czekały na egzekucję. Czas między jedną a drugą ściętą głową wypełniały robótkami na drutach. Pewnie były dobrymi matkami i po wszystkim wracały do swoich dzieci i mężów, jak gdyby nigdy nic.

– Jesteś ode mnie silniejsza. Zawsze ci tego zazdrościłem i dlatego starałem się nie okazywać uczuć. Bałem się, że uznasz to za słabość.

Co on wygaduje? Chcę coś powiedzieć, ale rozmowa skończona, mąż odwraca się i zasypia.

Zostaję sama ze swoją „siłą" i wpatruję się w sufit.

Tydzień później spełniam daną sobie obietnicę i idę do psychiatry.

Zapisałam się do trzech lekarzy. Każdy miał zapełniony kalendarz wizyt, z czego wynika, że w Genewie żyje mnóstwo ludzi z problemami psychicznymi. Na początku tłumaczyłam, że sprawa jest pilna, ale recepcjonistki odpowiadały, że każdy przypadek jest pilny, i że nie mogą skreślić wizyt innych pacjentów. Postanowiłam zastosować trik, który zawsze działa – mówiłam, gdzie pracuję. Magiczne słowo „dziennikarka" i nazwa znanej gazety otwierają drzwi, chociaż czasem także je zamykają. Tym razem udało się i zostałam zapisana do trzech psychiatrów.

Nie powiedziałam nic ani mężowi, ani szefowi. Poszłam na pierwszą wizytę. Przyjął mnie dziwny mężczyzna mówiący z brytyjskim akcentem. Od razu poinformował mnie, że nie honoruje ubezpieczenia zdrowotnego. Najwyraźniej pracował w Szwajcarii nielegalnie.

Opowiedziałam szczegółowo, co się ze mną dzieje. Przywołałam przykład Frankensteina, doktora Jekylla i pana Hyde'a. Błagałam, żeby pomógł mi ujarzmić ukrytego we mnie potwora, który wymknął się spod kontroli. Poprosił, żebym mu to wytłumaczyła. Nie podałam mu prawdziwych szczegółów, które mogłyby mnie skompromitować. Pominęłam fakt, że chciałam podrzucić narkotyki niewinnej kobiecie i skazać ją na lata więzienia. Skłamałam. Powiedziałam, że mam myśli samobójcze i kiedy patrzę na mojego śpiącego męża, mam ochotę go zabić. Spytał, czy któreś z nas ma romans. Zaprzeczyłam. Uznał, że symptomy nie odbiegają od normy. Zaproponował roczną terapię, trzy sesje w tygodniu. Obiecał, że po roku nastąpi złagodzenie moich morderczych instynktów o 50 procent. Byłam zaskoczona. A co, jeśli zabiję mojego męża przed upływem roku? Wyjaśnił, że to zjawisko nazywa się „transferencją" i chodzi tylko o moje „fantazje". Prawdziwi mordercy nie szukają pomocy.

Na koniec kazał sobie zapłacić 250 franków i poprosił recepcjonistkę, żeby zapisała mnie na regularne, cotygodniowe wizyty. Podziękowałam, mówiąc, że najpierw muszę sprawdzić rozkład zajęć w moim kalendarzu. Nie zamierzałam do niego wracać.

•

Drugim psychiatrą była kobieta. Zaakceptowała ubezpieczenie i z większym zrozumieniem wysłuchała mojej opowieści. Powtórzyłam historyjkę, że chcę zabić męża.

– Ja też czasem mam ochotę udusić mojego – odparła z uśmiechem. – Ale obie wiemy, że gdyby wszystkie kobiety realizowały ukryte pragnienia, większość dzieci byłaby półsierotami. To normalne.

Normalne?

Potem wytłumaczyła mi, że czuję się „zagrożona", ponieważ w naszym małżeństwie zabrakło miejsca na „dojrzewanie", a moje seksualne pragnienia wynikają ze „zmian hormonalnych opisanych w literaturze medycznej". Wzięła bloczek z receptami i zapisała mi popularny lek antydepresyjny. Przestrzegła, że przejdę jeszcze miesiąc piekła, bo lek działa z opóźnieniem. Na pożegnanie pocieszyła mnie, że niedługo moje problemy staną się tylko niemiłym wspomnieniem.

Warunkiem jest stałe przyjmowanie leku.

Jak długo mam go brać?

– To zależy, ale wydaje mi się, że za trzy lata będzie można zmniejszyć dawkę.

Okazało się, że jest problem z ubezpieczeniem, bo rachunek przychodzi na adres domowy pacjenta. Zdecydowałam się zapłacić gotówką. Wyszłam z gabinetu z postanowieniem, że nigdy tam nie wrócę.

•

Poszłam do trzeciego lekarza, do mężczyzny. Przyjął mnie w luksusowo urządzonym gabinecie. W odróżnieniu od swoich kolegów po fachu, w skupieniu mnie wysłuchał i miałam wrażenie, że w duchu przyznał mi rację. Byłam potencjalną morderczynią i istniało realne zagrożenie, że zabiję męża. Straciłam kontrolę nad siedzącym we mnie potworem i nie potrafię wepchnąć go z powrotem do klatki.

Kiedy skończyłam, ostrożnie spytał, czy biorę narkotyki.

Spróbowałam tylko raz.

Nie uwierzył mi. Zmienił temat. Chwilę rozmawialiśmy o konfliktach, z którymi musimy sobie radzić na co dzień, po czym znów zapytał mnie o narkotyki.

– Proszę mi zaufać. Nikt nie poprzestaje na jednym razie. Wie pani, że obowiązuje mnie tajemnica lekarska. Gdybym komuś powiedział, straciłbym prawo wykonywania zawodu. Chciałbym wyjaśnić tę sprawę, zanim umówimy się na następną wizytę. Pani musi zaakceptować mnie jako swojego lekarza, a ja panią jako pacjentkę.

Powtórzyłam, że nie biorę narkotyków. Znam prawo i nie przyszłam do niego, żeby kłamać. Chciałabym tylko szybko rozwiązać mój problem, zanim zrobię krzywdę ludziom, których kocham i z którymi żyję na co dzień pod jednym dachem.

Psychiatra miał piękną brodę i współczujące spojrzenie. Usadowił się wygodnie w fotelu.

– Przez lata gromadziła pani w sobie wszystkie złe emocje, a teraz chce się ich pani pozbyć w ciągu jednego dnia? Takich cudów nie ma ani w psychiatrii, ani w psychoanalizie. Nie jesteśmy szamanami, którzy jednym gestem wypędzają z ciała złe duchy.

Powiedział to z ironią, ale podsunął mi świetny pomysł. Postanowiłam raz na zawsze dać sobie spokój z psychiatrami.

Post Tenebras Lux. Po mrokach światło.

Stoję przed starym, długim na sto metrów murem. Na nim imponujące rzeźby czterech mężczyzn w otoczeniu wielu mniejszych postaci. Jeden robi szczególne wrażenie. Ma nakrycie głowy, brodę, a w dłoni Biblię, która w dawnych czasach dawała większą władzę niż dziś karabin maszynowy.

Przyglądając się tej postaci, pomyślałam, że gdyby przyszło mu żyć w obecnych czasach, katolicy, a szczególnie katolicy francuscy, uznaliby go za terrorystę. Sposób, w jaki chciał narzucać innym swoją prawdę, przywodzi na myśl Osamę Bin Ladena. Obaj mieli ten sam cel – wprowadzić teokrację i karać każdego, kto przeciwstawi się ich wersji „bożego prawa".

Chcąc zrealizować swoje wizje, nie wahali się użyć przemocy.

Człowiek ten nazywał się Jan Kalwin, a miejscem jego działań była Genewa. Niedaleko stąd setki ludzi skazywano na śmierć, nie tylko katolików, którzy bronili swojej wiary, ale także uczonych poszukujących prawdy i lekarstw na różne choroby, i którzy nie zgadzali się z dosłowną interpretacją Biblii. Najsłynniejszym ze skazańców był Miguel Servet. Jako pierwszy opisał krążenie płucne krwi i między innymi za to spłonął na stosie.

Nie jest grzechem karanie heretyków i bluźnierców. Dzięki temu nie stajemy się wspólnikami ich zbrodni

133

(...). Nie chodzi tu o ludzką władzę, bo przemawia Bóg (...). Dlatego jeśli On wymaga od nas tak poważnego działania i chce, byśmy oddawali Mu cześć, stawiając Go ponad wszystkim, co dostępne człowiekowi, nie możemy oszczędzać bliskich ani skąpić krwi. Gdy przychodzi nam walczyć o Jego chwałę, zapominamy o całej ludzkości.

Zniszczenie i śmierć wyszły daleko poza mury Genewy. Apostołowie Kalwina, prawdopodobnie uwiecznieni tu wśród pomniejszych figur, szerzyli swoje nauki i nietolerancję w całej Europie. W 1566 roku w Niderlandach ogień strawił wiele kościołów, a „buntowników", czyli ludzi innej wiary, mordowano. Pod zarzutem „świętokradztwa" palono dzieła sztuki, przez co bezpowrotnie straciliśmy dużą część naszego dziedzictwa.

Dziś moje dzieci uczą się o Kalwinie w szkole. Przedstawiany jest jako wielki reformator, wizjoner, którego idee „wyzwoliły" nas z jarzma katolicyzmu, rewolucjonista, któremu winny składać hołd kolejne pokolenia.

Po mrokach światło.

Zastanawiam się, co działo się w głowie tego człowieka. Czy nie spał po nocach, rozmyślając o rodzinach wyciętych w pień, o synach odbieranych ojcom, o ziemi zbroczonej krwią? A może był tak pewny swoich racji, że nie miał żadnych wątpliwości?

Może uważał, że w imię miłości wszystko da się usprawiedliwić? Mnie też dręczy to pytanie. Właściwie stanowi sedno moich problemów.

Doktor Jekyll i pan Hyde. Ludzie, którzy znali Kalwina, mówili, że był dobrotliwym, nieśmiałym i pełnym pokory człowiekiem, że żył zgodnie z przykazaniami Chrystusa, a swoją miłością zarażał tłumy.

Historię jak zwykle piszą zwycięzcy. Nikt nie pamięta ich zbrodni. Dziś Kalwin przedstawiany jest jako lekarz dusz, wielki reformator, który wyzwolił nas od katolickiej herezji z jej aniołami, świętymi, dziewicami, złotem, srebrem, rozpasaniem i korupcją.

Z zamyślenia wyrywa mnie kubański szaman, z którym umówiłam się na spotkanie. Tłumaczę, że nasza gazeta chce opublikować artykuł o alternatywnych sposobach radzenia sobie ze stresem. Świat biznesu jest pełen ludzi, którzy ze wspaniałomyślnych szefów przeobrażają się w niebezpiecznych frustratów wyładowujących się na słabszych. Coraz trudniej przewidzieć reakcję naszych bliźnich.

Psychiatrzy i terapeuci są tak oblegani, że wszystkich pacjentów nie są w stanie przyjąć. A przecież człowiek w depresji nie może czekać na wizytę kilka miesięcy albo nawet lat.

Kubańczyk słucha w milczeniu. Pytam, czy możemy przejść do kawiarni, bo zrobiło się zimno.

– To przez mgłę – wyjaśnia, ale przyjmuje zaproszenie.

Słynna mgła utrzymuje się nad miastem do lutego, bywa nawet, że do marca. Czasem rozwiewa ją mistral. Przez chwilę mamy czyste niebo, ale robi się zimno.

– Jak pani mnie znalazła?

Dowiedziałam się od ochroniarza pracującego w budynku gazety. Redaktor naczelny zlecił mi przeprowadzenie wywiadów z psychologami, psychiatrami, terapeutami, ale to już robiliśmy setki razy.

Potrzebuję czegoś oryginalnego i dlatego zwróciłam się do szamana.

– Nie wolno pani ujawnić mojego nazwiska. Nie mam podpisanej umowy z ubezpieczycielem.

Innymi słowy działa nielegalnie.

•

Mówię przez dwadzieścia minut, starając się stworzyć miłą atmosferę, ale Kubańczyk wciąż przygląda mi się nieufnie. Ma śniadą cerę, szpakowate włosy i jest dość niski. Przyszedł w garniturze i pod krawatem. Wcale nie wygląda na szamana.

Zapewniam go, że wszystko, co powie, pozostanie tajemnicą. Jesteśmy tylko ciekawi, czy wielu ludzi korzysta z jego usług. Podobno ma dar uzdrawiania.

– To nieprawda. Nie potrafię nikogo wyleczyć z choroby. To może zrobić tylko Bóg.

Zgadzam się, ale nieraz ktoś znajomy nagle zaczyna się dziwnie zachowywać. Nie rozumiemy, skąd ta zmiana, co się stało. Przecież tak dobrze go znamy. Napady agresji tłumaczymy stresem w pracy. Potem wszystko wraca do normy. Oddychamy z ulgą, ale wkrótce to nam, w najmniej oczekiwanym momencie, grunt usuwa się spod nóg. Zamiast martwić się znajomym, zachodzimy w głowę, co stało się z nami.

Kubańczyk milczy. Wciąż mi nie ufa.

Czy jest na to lekarstwo?

– Jest, ale pochodzi od Boga.

Tak, tak, wiem, ale w jaki sposób Bóg leczy?

– To zależy. Niech mi pani spojrzy w oczy.

Wykonuję polecenie. Po chwili czuję, że wpadam w trans i tracę kontrolę nad swoim ciałem.

– Wzywam wszystkie moce, które wspierają mnie w pracy, wszystkie moce, które są we mnie! Wzywam duchy opiekuńcze! Jeśli doniesiesz na mnie policji albo urzędowi emigracyjnemu, zniszczą ciebie i twoich bliskich.

To mówiąc, robi ruch ręką wokół mojej głowy. Wydaje mi się to tak absurdalne, że mam ochotę wstać i wyjść. Jednak po chwili szaman znów zachowuje się normalnie i przybiera obojętny wyraz twarzy.

– Teraz może pani pytać. Ufam pani.

Zdenerwował mnie. Nie zamierzałam na nikogo donosić. Zamawiam drugą filiżankę herbaty i wyjaśniam, o co mi chodzi. Wszyscy lekarze, u których byłam, mówią, że leczenie długo trwa. Tymczasem ochroniarz powiedział – cytuję – „Bóg poprzez Kubańczyka wyleczył mnie z głębokiej depresji".

– Sami prowokujemy zamęt w naszych głowach. To nie przychodzi z zewnątrz. Wystarczy poprosić o pomoc opiekuńczego ducha. Wnika on do wnętrza duszy i robi porządek. Niestety, ludzie przestali wierzyć w opiekuńcze duchy, a przecież one ciągle nas obserwują i bardzo chcą nam pomóc. Problem w tym, że nikt ich o pomoc nie prosi. Ja tylko przyprowadzam duchy do kogoś, kto potrzebuje ich wsparcia, a potem czekam, aż zrobią swoje.

Wyobraźmy sobie, że ktoś snuje niecne plany, chce zniszczyć drugą osobę, na przykład zamierza skompromitować ją w pracy.

– To się często zdarza.

No właśnie! Pytanie, czy kiedy po wszystkim żądza zemsty minie, będzie czuł się winny.

– Oczywiście. Zacznie go dręczyć sumienie.

Wobec tego kalwińskie motto – po mrokach światło – jest nieprawdziwe.

– Słucham?

Nic takiego. Myślałam o pomniku w parku.

– Na końcu tunelu zawsze jest światło, ale zanim człowiek do niego dotrze, potrafi wiele zniszczyć.

No właśnie! Ale wróćmy do jego metody.

– To nie jest moja metoda, ale od lat stosuję ją w takich przypadkach jak stres, depresja, napady złości, próby samobójcze i inne przypadłości, które ludzie wymyślają, żeby sobie zaszkodzić.

Boże, nareszcie trafiłam na właściwego człowieka! Muszę zachować zimną krew.

Jakie to metody?

– Trans, autohipnoza, medytacja. W każdej kulturze nazywa się to inaczej. Ale proszę pamiętać, że Towarzystwo Medycyny w Szwajcarii krzywo patrzy na te praktyki.

Przyznaję się, że ćwiczę jogę, ale nie potrafię przez to lepiej organizować sobie życia, ani rozwiązywać problemów.

– Rozmawiamy o pani, czy o artykule, który ma pani zamiar napisać?

Możemy rozmawiać o jednym i drugim. Mówię otwarcie, bo nie mam przed nim tajemnic. Zdobył moje zaufanie. Tłumaczę, że jego obawy przed zdemaskowaniem są niedorzeczne. Przecież wszyscy wiedzą, że przyjmuje w Veyrier. Wiele osób korzysta z jego pomocy, także policjanci, strażnicy więzienni. Powiedział mi o nim ochroniarz pracujący w naszym biurze.

– Pani problemy pojawiają się w nocy.

Owszem. I co z tego?

– Noc przywołuje koszmary z dzieciństwa, strach przed samotnością i przed nieznanym. Jeśli uda nam się go opanować, z łatwością poradzimy sobie z zagrożeniami, które pojawiają się w ciągu dnia. Kiedy naszym sprzymierzeńcem jest światło, nie boimy się ciemności.

Czuję się, jakbym stała przed nauczycielem z podstawówki, który tłumaczy mi rzeczy oczywiste. Ciekawe, czy mogłabym go odwiedzić w domu i...

– ...poddać się egzorcyzmom?

Nie chciałam użyć tego słowa, ale tego właśnie potrzebuję.

– Nie ma potrzeby. Widzę w pani ciemność, ale widzę też dużo światła. Jestem pewien, że światłość zwycięży.

Mam łzy w oczach. Czuję, że przeniknął moją duszę na wskroś, chociaż nie wiem, jak tego dokonał.

– Od czasu do czasu niech pani podda się nocy. Proszę popatrzeć w gwiazdy, zanurzyć się w nieskończoności. Na dnie ciemnej studni zawsze jest woda. Tajemnica nocy zbliży panią do Boga. W jej mrokach może zapłonąć ogień, który oświetli pani duszę.

Rozmawialiśmy prawie dwie godziny. Kubańczyk powtórzył, że nic nie muszę robić – wystarczy dać się ponieść nurtowi życia, a znikną wszystkie poważne problemy. Przyznaję się, że pragnę zemsty. Słucha w milczeniu, niczego nie komentuje. Kiedy mówię, z każdą chwilą czuję się lepiej.

Kubańczyk proponuje, żebyśmy wyszli z kawiarni i poszli do parku. Przy wejściu na asfalcie namalowano szachownicę i ustawiono wielkie plastikowe figury. Pomimo zimna kilka osób próbuje grać.

Kubańczyk milczy, ja mówię. Opowiadam mu o swoim życiu, raz z entuzjazmem, to znów z goryczą. Zatrzymujemy się przed ogromną szachownicą. Szaman przestaje mnie słuchać i przygląda się grze. Po chwili milknę i też patrzę na graczy, mimo że wcale mnie to nie interesuje.

– Niech pani dojdzie do końca – odzywa się po chwili szaman.

To znaczy mam zdradzić męża, podrzucić rywalce kokainę i zadzwonić na policję?

Kubańczyk wybucha śmiechem.

– Widzi pani tych graczy? Każdy musi wykonać kolejny ruch. Nie może zatrzymać się w połowie drogi, bo to oznaczałoby klęskę. I tak ktoś przegra, ale walka powinna trwać do końca. Mamy wszystko, czego nam trzeba. Nie musimy niczego poprawiać. Nie ma sensu zastanawiać się, czy jesteśmy dobrzy czy źli, sprawiedliwi czy niesprawiedliwi. Genewę spowija mgła. Być może utrzyma się nad miastem przez kilka miesięcy, ale kiedyś wreszcie zniknie. Dlatego niech pani przestanie się miotać i pozwoli się ponieść nurtowi życia.

Nie będzie próbował odwieść mnie od moich planów?

– Nie. Jeśli zrobi pani coś złego, sama pani to zrozumie. Mówiłem już w kawiarni, że jest w pani więcej światła niż ciemności. Ale żeby to zobaczyć, musi pani grać do końca.

Nigdy, w całym moim życiu, nie usłyszałam tak bezsensownej rady. Dziękuję za poświęcony mi czas i pytam, ile jestem mu winna. Odpowiada, że nic.

•

W redakcji naczelny pyta, dlaczego tak długo mnie nie było. Wyjaśniam, że temat jest skomplikowany i musiałam poświęcić mu więcej czasu.

– Czy to znaczy, że wspieramy jakieś nielegalne praktyki?

A czy wspieramy nielegalne praktyki, opowiadając młodym ludziom o nowych używkach? Prowokujemy wypadki, pisząc o nowych modelach samochodów, które osiągają prędkość 250 kilometrów na godzinę? Przyczyniamy się do depresji i namawiamy do samobójstw, publikując artykuły o ludziach sukcesu, ale nie tłumacząc, jak do niego doszli? Czy w ten sposób wmawiamy czytelnikom, że nie są nic warci?

Szef nie ma ochoty na dyskusje. Pewnie uznał, że mój materiał rzeczywiście może zainteresować czytelników bardziej, niż artykuł noszący tytuł: „Dzięki łańcuszkowi szczęścia udało się zebrać 8 milionów franków dla obywateli pewnego azjatyckiego państwa".

Piszę tekst na sześćset słów – tyle dali mi miejsca. Wszystkie informacje ściągam z internetu. Nie mogę wykorzystać niczego, co powiedział szaman. To była prywatna konsultacja.

Jakub!

Wraca do mojego życia. Wysłał mi esemesa z zaproszeniem na kawę. Jakby nie mógł zaproponować czegoś mniej banalnego. Gdzie się podziała fantazja konesera win? Czy tak zachowuje się człowiek, który posiada najpotężniejszy afrodyzjak na świecie – władzę?

Gdzie jest mój chłopak z liceum, którego poznałam w czasach, kiedy jeszcze wszystko było możliwe?

Ożenił się, zmienił i nagle wysyła mi zaproszenie na kawę. Nie mógł być bardziej oryginalny, na przykład zaprosić na bieg nudystów do Chamonix? To byłoby ciekawsze.

Nie odpowiem. Obraził mnie, upokorzył, milczał przez kilka tygodni. Myśli, że przybiegnę w podskokach, gdy tylko zaszczyci mnie zaproszeniem na kawę?

Kładę się do łóżka, nakładam słuchawki i przesłuchuję wywiad z Kubańczykiem. W części, kiedy jeszcze udawałam dziennikarkę, a nie kobietę wystraszoną własnym stanem ducha, spytałam go, czy trans (on wolał nazywać go medytacją) może pomóc wyrzucić kogoś z pamięci. Nawiązałam do wcześniejszego fragmentu rozmowy, dając do zrozumienia, że chodzi o „miłość" albo „traumę spowodowaną słowną agresją".

– To delikatna sprawa – odpowiedział. – Możemy doprowadzić do ograniczonego zaniku pamięci, ale osoba, o której chcemy zapomnieć, zwykle jest powiązana z wieloma faktami z naszego życia. Nie da się jej całkowicie wyeliminować. Poza tym próba wyrzucenia czegoś z pamięci jest z góry skazana na porażkę. Trzeba się z tym zmierzyć.

Powtórnie przesłuchuję nagranie, staram się odprężyć, robię notatki, ale to nic nie daje. Przed snem wysyłam Jakubowi wiadomość i przyjmuję zaproszenie.

Straciłam panowanie nad sobą – oto cały mój kłopot.

– Nie powiem, że za tobą tęskniłem, bo i tak nie uwierzysz. Tak jak nie uwierzysz, że nie odpowiadałem na twoje esemesy, bo bałem się w tobie zakochać.

Rzeczywiście nie wierzę, ale pozwalam mu tłumaczyć niewytłumaczalne. Siedzimy w skromnym barze w miasteczku Colombes-sur-Salève, tuż za francuską granicą, piętnaście minut drogi od mojej pracy. Pozostali klienci to kierowcy ciężarówek i robotnicy z pobliskiego kamieniołomu.

Jestem tu jedyną kobietą, poza jaskrawo umalowaną barmanką, która chodzi między stolikami, żartując z klientami.

– Od kiedy pojawiłaś się w moim życiu, przechodzę prawdziwe piekło. Zaczęło się tego dnia, kiedy wymienialiśmy pieszczoty w moim gabinecie.

„Wymienialiśmy pieszczoty"? Lekka przesada. To ja dostarczyłam mu rozkoszy, on nie kiwnął nawet palcem.

– Nie chcę przesadzać i mówić, że jestem nieszczęśliwy, ale czuję się coraz bardziej samotny, chociaż nikt o tym nie wie. Spotykam się z przyjaciółmi, jest miło, pijemy dobre wino, prowadzimy ożywioną dyskusję, uśmiecham się, ale myślami jestem gdzie indziej. W końcu mówię, że mam pilne spotkanie i wychodzę. Wiem, czego mi brakuje – ciebie.

To dobry moment, żeby się zemścić. Może potrzebuje terapii małżeńskiej?

– Chyba tak. Problem w tym, że musiałbym pójść z Marianne, a ona nie chce o tym słyszeć. Uważa, że wszystko da się wyjaśnić za pomocą filozofii. Widzi, że się zmieniłem, ale przypisuje to kampanii wyborczej. Kubańczyk miał rację – pewne rzeczy trzeba doprowadzać do końca. Na szczęście wypowiadając te słowa Jakub ratuje swoją żonę przed oskarżeniem o handel narkotykami.

– Mam teraz więcej obowiązków i jeszcze się do tego nie przyzwyczaiłem. Żona twierdzi, że z czasem będzie lepiej. A ty co myślisz?

Ja? A co chce wiedzieć?

Kiedy zobaczyłam go w barze przy stoliku, pijącego campari z wodą gazowaną, uśmiechnął się do mnie szeroko. Natychmiast zapominam o mocnym postanowieniu, że mu nie ulegnę. Czujemy się jak nastolatki, chociaż dziś możemy pić alkohol nie łamiąc prawa. Biorę w swoje dłonie jego zimne ręce. Nie wiem, czy są chłodne z zimna, czy ze strachu.

Mówię, że wszystko będzie dobrze i proponuję, żebyśmy następnym razem spotkali się wcześniej. Lato minęło i szybko zapada zmierzch. Jakub zgadza się i dyskretnie całuje mnie w usta. Nie chce, żeby to zauważyli siedzący obok mężczyźni.

– Te piękne, jesienne dni są dla mnie prawdziwą udręką. Podciągam żaluzje w gabinecie, obserwuję przechodniów. Widzę pary trzymające się za ręce. Niczego się nie obawiają. Ja muszę ukrywać swoją miłość.

Miłość? Czyżby kubański szaman ulitował się nade mną i wezwał na pomoc opiekuńcze duchy?

Jadąc na spotkanie, spodziewałam się wszystkiego, tylko nie mężczyzny gotowego otworzyć przede mną duszę. Serce bije mi coraz szybciej. Z radości i ze zdziwienia. Nie będę się zastanawiać ani pytać, skąd ta zmiana.

– Nie zazdroszczę im szczęścia, tylko nie rozumiem, dlaczego inni mogą być szczęśliwi, a ja nie.

Jakub płaci rachunek. Przechodzimy przez granicę

i idziemy w kierunku zaparkowanych przy drodze samochodów. Jesteśmy znów w Szwajcarii.

Tutaj nie ma miejsca na okazywanie uczuć. Żegnamy się, całując trzy razy w policzki, po czym każde z nas wraca do swoich spraw.

Tak jak po spotkaniu w klubie golfowym, nie jestem w stanie prowadzić auta. Czuję chłód, więc naciągam kaptur. Postanawiam przejść się po miasteczku. Mijam pocztę, fryzjera, przechodzę obok otwartego baru, ale nie wchodzę. Muszę się przewietrzyć. Nie chcę zastanawiać się nad tym, co zaszło. Jedynym moim marzeniem jest to, żeby cokolwiek się działo.

„Podciągam żaluzje w gabinecie, obserwuję przechodniów. Widzę pary trzymające się za ręce. Niczego się nie obawiają. Ja muszę ukrywać swoją miłość", powiedział Jakub.

Nikt, absolutnie nikt nie był w stanie wytłumaczyć mi, co się ze mną dzieje – ani szaman, ani psychiatrzy, ani nawet mój mąż. Dopiero ty musiałeś się pojawić, żeby mi to wyjaśnić...

Samotność. Doskwiera mi, choć otaczają mnie kochający ludzie, którzy dobrze mi życzą. Chcą mi pomóc, ponieważ sami czują się samotni. W ich geście solidarności jest jasny przekaz – „mimo mojej samotności jestem komuś potrzebny".

Rozum mówi, że wszystko gra, ale dusza czuje się osamotniona, zagubiona, nie rozumie, dlaczego nie zadowala jej obecne życie. Po chwili jednak sprawy wracają do normy. Zajmujemy się dziećmi, małżonkami, kochankami, szefami, pracownikami, uczniami i wieloma innymi osobami, które spotykamy w ciągu dnia.

Na twarzy mamy uśmiech i dla każdego dobre słowo. Trudno wyjaśnić, dlaczego czujemy się samotni. Przebywamy przecież wśród ludzi. Jednak osamotnienie jest faktem i dzień po dniu niszczy to, co w nas najlepsze. Tracimy energię udając szczęście, ale siebie nie oszukamy. Każdego ranka pokazujemy światu pąk róży, a skrzętnie ukrywamy ciernie, które nas niszczą i jątrzą krwawe rany.

Każdy przynajmniej raz w życiu czuł się samotny. I każdy z pokorą przyznaje: „Jestem samotny, potrzebuję towarzystwa. Muszę zabić potwora, mitycznego smoka z bajek. Nikt w niego nie wierzy, ale on naprawdę istnieje". Czekamy na szlachetnego, dzielnego rycerza, który przybędzie w blasku chwały, pokona potwora i strąci go w przepaść. Niestety rycerz się nie zjawia.

Nie tracimy nadziei. Zaczynamy robić rzeczy, których dawniej nie robiliśmy – rzeczy ryzykowne, wykraczające poza to, co słuszne i konieczne. Tkwiące w nas ciernie rosną i dokonują coraz większego spustoszenia, ale my nie potrafimy się zatrzymać. Traktujemy życie jak wielką szachownicę. Wszyscy na nas patrzą i czekają na kolejny ruch. Udajemy, że nie zależy nam na wygranej i nie boimy się klęski. Ważna jest rywalizacja. Robimy wszystko, żeby nie okazać swoich uczuć.

146 I wtedy...

....zamiast szukać towarzystwa, wycofujemy się, żeby w samotności lizać rany. Albo wręcz przeciwnie – zaczynamy spotykać się z ludźmi, z którymi nic nas nie łączy. Chodzimy razem na kolacje i obiady, rozmawiamy o nieistotnych sprawach. Czasem jest przyjemnie, pijemy, bawimy się, ale smok nadal żyje. Wreszcie nasi bliscy zauważają, że coś się z nami dzieje. Czują się winni, że nie dają nam szczęścia i pytają, czy coś nas gnębi. Zaprzeczamy, zapewniamy, że wszystko jest w porządku. A przecież to nieprawda.

Wszystko się wali. Proszę, zostawcie mnie w spokoju. Wszystkie łzy już wypłakałam, moje serce nie potrafi już znieść więcej cierpienia. Zostały mi bezsenność, pustka, apatia. Zastanówcie się, czy nie czujecie tego samego. Ale nikt nie chce słuchać. To tylko chwilowe kłopoty, depresja, pocieszają. Każdy boi się prawdy, unika przeklętego słowa „samotność".

A my wciąż czekamy na rycerza w lśniącej zbroi,

który zabije smoka, zerwie różę i pozbawi ją cierni. Wierzymy, że tylko on uczyni nas szczęśliwymi.

Jedni mówią, że zbyt wiele wymagamy od życia, inni uważają, że słusznie cierpimy, bo mamy wszystko, a oni nic.

Czekamy na dzień, kiedy ślepi odzyskają wzrok, zrozpaczeni znajdą pociechę, a cierpiący zbawienie. I pojawi się rycerz, który nas ocali i nada życiu sens...

Do tego momentu trzeba będzie kłamać i udawać, ponieważ wymaga tego obecna sytuacja. Każda kobieta czasem ma ochotę rzucić wszystko i szukać szczęścia. Tylko że pogoń za marzeniem ma swoją cenę. W niektórych krajach grozi to ukamienowaniem, w innych wykluczeniem ze społeczeństwa, obojętnością. Zawsze płaci się jakąś cenę. Nawet jeśli nadal będziesz kłamać, a inni udawać, że ci wierzą, pamiętaj, że w rzeczywistości będą ci zazdrościć, obgadywać cię i opowiadać, jaka z ciebie straszna i niebezpieczna kobieta. Nie jesteś zdradzającym mężczyzną, którego się toleruje, a wręcz podziwia. Jesteś wiarołomną kobietą, która sypia z każdym i oszukuje biednego, wyrozumiałego, kochającego małżonka.

Tylko ty wiesz, że twój mąż nie uchronił cię przed samotnością. Zabrakło czegoś, czego nie potrafisz nawet nazwać. Nadal go kochasz i nie chcesz go stracić, ale marzenie o wspaniałym rycerzu i podróży w nieznane jest silniejsze od pragnienia zachowania obecnego stanu. Cóż z tego, że niebawem ludzie na przyjęciach będą obrzucać cię nienawistnym wzrokiem i mówić, że najlepiej byłoby wrzucić cię do morza z przywiązanym do szyi kamieniem, bo dajesz innym zły przykład.

Najgorsze jest to, że twój mąż wszystko znosi. Nie skarży się, nie robi awantur. Uważa, że to minie. Ty też o tym wiesz, ale na razie poddajesz się pragnieniu, które jest silniejsze od ciebie.

Trwa to miesiąc, dwa, rok... Wszyscy zaciskają zęby i milczą.

Nie będziesz nikogo prosić o pozwolenie. Patrząc wstecz, przypominasz sobie chwile, kiedy sama potępiałaś ludzi dopuszczających się zdrady. Ty też myślałaś, że gdybyście żyli w innym kraju, zostaliby ukamienowani. Aż przychodzi kolej na ciebie. Znajdujesz sto wymówek usprawiedliwiających twoje postępowanie. Masz prawo do szczęścia, nawet jeśli będzie trwało chwilę. Tymczasem rycerz, który zgładzi smoka, istnieje tylko w bajkach dla dzieci. W rzeczywistości smok nigdy nie umiera i właśnie dlatego przynajmniej raz w życiu masz prawo do chwili zapomnienia i przeżycia swojej bajki dla dorosłych.

Wreszcie przychodzi chwila, której długo próbowałaś uniknąć. Musisz zdecydować – zostajesz z mężem czy rozstajecie się na zawsze.

Pojawia się strach przed złym wyborem. Modlisz się w duchu, żeby ktoś dokonał go za ciebie, wyrzucił cię z łóżka, z domu, bo dalej tak być nie może. Stajesz się dwiema osobami w jednym ciele, czasem nawet jest was więcej. Każda jest inna. Nigdy wcześniej nie byłaś w takim stanie i nie masz pojęcia, co z tego wyniknie. Wiesz, że będziesz musiała zranić jedną osobę, dwie, a może więcej. Być może zranisz wszystkich...

...ale przede wszystkim, niezależnie od wyboru, zniszczysz siebie.

Wszędzie są korki. I to akurat dzisiaj!

Genewa ma niespełna 200 tysięcy mieszkańców, a wmawia się nam, że jesteśmy pępkiem świata. Wielu ludzi daje się na to nabrać. Przylatują z różnych stron świata na rozmaite „szczyty". Zazwyczaj spotkania odbywają się poza miastem i nie utrudniają ruchu. Czasem tylko widać na niebie helikopter.

Nie mam pojęcia, co się tym razem dzieje. Zamknięto największą ulicę w mieście. Czytałam dzisiejszą gazetę, ale nie spojrzałam na dodatek miejski. Wiem tylko, że wielcy tego świata przysłali swoich przedstawicieli, żeby na „neutralnym gruncie" podyskutowali o rosnącym zagrożeniu bronią atomową. Czy to komplikuje moje życie?

Bardzo. Spóźnię się na spotkanie. Trzeba było jechać autobusem, a nie pchać się cholernym samochodem.

•

Co roku w Europie wydaje się około 74 milionów franków szwajcarskich (mniej więcej 80 milionów dolarów) na prywatnych detektywów specjalizujących się w śledzeniu, fotografowaniu i udowadnianiu niewierności. Mamy kryzys, padają firmy, ludzie tracą pracę, ale rynek zdrady przechodzi okres rozkwitu.

Korzystają nie tylko detektywi, ale także informatycy,

którzy wymyślili aplikację „SOS Alibi" dla telefonów komórkowych. Jak to działa? O konkretnej godzinie z twojego telefonu, na przykład z biura, wysyłany jest miłosny esemes do małżonka. Ty baraszkujesz w łóżku z kochankiem, pijesz szampana, a twój mąż lub żona dostaje wiadomość, że spóźnisz się do domu, bo wypadło ci nieoczekiwane spotkanie. Inny pomysł to „Excuse Machine", aplikacja oferująca przeprosiny po francusku, niemiecku i włosku. Sam wybierasz język, który przyda ci się danego dnia.

Poza detektywami i informatykami zarabiają także właściciele hoteli. W jednym na siedem szwajcarskich małżeństw dochodzi do zdrady (według oficjalnych statystyk). Biorąc pod uwagę wszystkie osoby zamężne i żonate, mamy 450 tysięcy dorosłych obywateli poszukujących dyskretnego miejsca na schadzkę. Pewien właściciel luksusowego hotelu oferował klientom „system pozwalający ukryć płatność za pokój kartą kredytową w ten sposób, że na liście transakcji operacja widnieje jako rachunek z restauracji". Wkrótce do hotelu zaczęli ściągać goście, dla których wynajęcie na kilka godzin pokoju za 600 franków nie było żadnym wydatkiem. Do takiego miejsca właśnie jadę.

Pół godziny jazdy, cała w nerwach. Zatrzymuję się przed hotelem, oddaję kluczyki człowiekowi z obsługi i biegnę do pokoju. Dzięki serwisowi esemesowemu wiem, dokąd mam iść i nie muszę o nic pytać w recepcji.

Od naszego spotkania we francuskiej kawiarni do dzisiejszego dnia niewiele się zdarzyło. Nie potrzebowaliśmy zapewnień, miłosnych zaklęć ani nawet drugiego spotkania. Oboje dokładnie wiedzieliśmy, czego chcemy. Baliśmy się, że się rozmyślimy, dlatego decyzję podjęliśmy szybko i bez zbędnych pytań.

Jesień zmieniła się w wiosnę. Ja znów mam szesnaście lat, Jakub piętnaście. W tajemniczy sposób odzyskałam dziewiczą duszę (dziewictwa cielesnego odzyskać się nie da). Całujemy się. Zapomniałam, jak to jest! Do tej pory żyłam marzeniami, zastanawiając się, co i kiedy bym zrobiła. Potem próbowałam zapomnieć o tęsknotach. To samo robił mój mąż. Wszystko było nie tak. Nie byliśmy sobie oddani ciałem i duszą.

Zastanawiam się, jak daleko Jakub się posunie. W szkole poza pocałunkami do niczego między nami nie doszło. Obściskiwaliśmy się długo i namiętnie w jakimś szkolnym zaułku, chociaż ja bardzo chciałam, żeby wszyscy nas widzieli.

Jakub nie zamierza poprzestać na pocałunkach. Jego język ma gorzki smak papierosów i wódki. Jestem onieśmielona i spięta. Dla równowagi też powinnam wypić kieliszek wódki i zapalić papierosa. Odpycham go delikatnie, idę do minibaru i jednym haustem opróżniam buteleczkę ginu. Alkohol pali w przełyku. Proszę Jakuba o papierosa.

Wyciąga paczkę, przypomina, że w pokoju nie wolno palić. Jak miło jest łamać przepisy, szczególnie te niedorzeczne! Zaciągam się i natychmiast robi mi się niedobrze. Nie wiem, co jest powodem – alkohol czy papieros. Idę do łazienki i wyrzucam niedopałek do ubikacji. Jakub idzie za mną, obejmuje mnie od tyłu, całuje mnie w kark i uszy. Kiedy przywiera do mnie całym ciałem, czuję na pośladkach jego twarde przyrodzenie.

Gdzie się podziały moje zasady moralne? Co będzie się działo w mojej głowie, kiedy stąd wyjdę i wrócę do moich codziennych spraw?

Jakub ciągnie mnie do pokoju. Odwracam się, całuję go w usta, dotykam języka, czuję smak papierosów i wódki. Lekko gryzę go w wargę, a on dotyka moich piersi. Zdziera ze mnie sukienkę i rzuca ją w kąt. Jestem onieśmielona. Nie mam już ciała nastolatki, która kiedyś wiosną całowała się z nim w szkole. Stoimy przy odsłoniętym oknie. W oddali widać Jezioro Lemańskie, a za nim miasto.

Wyobrażam sobie, że ktoś nas obserwuje. Podnieca mnie to bardziej niż pocałunki, które Jakub składa na moich piersiach. Fantazjuję, że jestem włóczęgą, prostytutką, której bogaty urzędnik płaci za stosunek.

Potem znowu cofam się w przeszłość do chwil, kiedy byłam nastolatką i kilka razy dziennie masturbowałam się, myśląc o Jakubie. Chwytam go za głowę i proszę, by mocno ugryzł mnie w brodawkę. Krzyczę z bólu i rozkoszy.

Jakub nadal jest ubrany, ja stoję naga. Kieruję jego głowę w dół, domagając się pieszczot, ale on rzuca mnie na łóżko, szybko się rozbiera i kładzie na mnie. Wyciąga rękę i nerwowo szuka czegoś na nocnym stoliku. Tracimy równowagę i upadamy na podłogę jak niedoświadczone dzieciaki. Tak, jesteśmy nastolatkami i wcale się tego nie wstydzimy.

Jakub odnajduje prezerwatywę i prosi, żebym nałożyła mu ją ustami. Robię to niezdarnie i bez większego przekonania. Nie rozumiem, po co to wszystko. Chyba nie podejrzewa, że zaraziłam się jakimś świństwem, że puszczałam się na prawo i lewo. Ale rozumiem, że go to podnieca. Czuję w ustach niemiły smak chemii. Z trudem uczę się nowej sztuczki. Nie przyznaję się, że nie widziałam jeszcze takiej prezerwatywy.

Kiedy w końcu mi się to udaje, Jakub każe mi odwrócić się i oprzeć o materac. Nareszcie, coś się dzieje! Jestem w euforii.

Czuję jego członek w okolicy odbytu. Oblatuje mnie strach. Pytam, co robi, ale on nie odpowiada. Bierze coś ze stolika. Po chwili zdaję sobie sprawę, że to wazelina lub coś w tym rodzaju. Każe mi się masturbować i powoli we mnie wchodzi. Wykonuję jego polecenie. Podniecam się jak dzierlatka, dla której seks jest tabu, ale jednocześnie czuję coraz silniejszy ból. Po chwili nie jestem w stanie dalej się masturbować. Wczepiam dłonie w prześcieradło i zaciskam zęby, żeby nie krzyczeć.

– Mów, że cię boli! Mów, że nigdy tego nie robiłaś! – rozkazuje Jakub.

Porusza się coraz szybciej. Jęczy z rozkoszy, ja z bólu. Chwyta mnie za włosy jak jakieś zwierzę. Jego ruchy są coraz gwałtowniejsze. Nagle wychodzi ze mnie, zrywa prezerwatywę, odwraca mnie na plecy i kończy wytryskiem na moją twarz.

153

Jego tłumione jęki rozkoszy przechodzą w krzyk. Napiera na mnie całym ciałem. Jestem przerażona, a jednocześnie zafascynowana. Po wszystkim idzie do łazienki, wyrzuca prezerwatywę do kosza i wraca.

Kładzie się obok mnie, zapala papierosa. Stawia mi na brzuchu pustą szklankę po wódce i strzepuje do niej popiół. Przez długi czas leżymy w milczeniu, patrząc w sufit. Jakub delikatnie gładzi mnie po głowie. Nie jest już brutalnym mężczyzną sprzed kilku minut, ale romantycznym chłopcem, który w szkole opowiadał mi o galaktykach i astrologii.

– Musimy pozbyć się wszelkich zapachów.

To zdanie jest jak policzek. Szybko sprowadza mnie na ziemię. Najwyraźniej Jakub nie robi tego po raz pierwszy. Stąd ta dziwna prezerwatywa, a potem troska o ewentualne ślady. Przeklinam go w myślach, nienawidzę, ale po chwili z uśmiechem pytam, czy ma jakiś sposób na pozbycie się niepożądanych zapachów.

Mówi, że po powrocie do domu, zanim przywitam się z mężem, powinnam szybko wziąć prysznic. Radzi, żebym zmieniła też majtki, bo mogą być poplamione wazeliną.

– Jeśli twój mąż będzie w domu, biegnij wprost do łazienki. Powiedz, że koniecznie musisz się wykąpać.

Robi mi się niedobrze. Tak długo marzyłam o tym, żeby stać się lwicą, a skończyłam jako klacz. Takie jest życie, rzeczywistość bardzo odbiega od romantycznych, młodzieńczych marzeń.

Świetny pomysł. Tak zrobię.

– Chciałbym się znowu z tobą zobaczyć.

Jedno proste zdanie zmienia w raj to, co przed chwilą było piekłem, błędem, upadkiem w czarną otchłań. Oczywiście, musimy się znowu spotkać. Wiem, że byłam dziś nerwowa i nieśmiała, ale następnym razem będzie lepiej.

– Było wspaniale.

Tak, było wspaniale. Dopiero teraz to zrozumiałam. Oboje wiemy, że ta historia szybko się skończy, ale na razie nie zaprzątajmy sobie tym głowy.

Nie odzywam się. Leżę obok. Czekam, aż wypali papierosa. Potem ubiorę się i pierwsza opuszczę pokój.

Wyjdę tymi samymi drzwiami, którymi weszłam.

Wsiądę do samochodu i pojadę tam, dokąd wracam każdego wieczora. Wpadnę do pokoju, mówiąc, że się zatrułam i pobiegnę do łazienki. Wykąpię się i pozbędę tego, co we mnie z niego zostało.

Dopiero potem ucałuję na dobranoc dzieci i męża.

Każde z nas przyszło do hotelu z innymi oczekiwaniami.

Ja pragnęłam romantycznej przygody, on chciał ugasić żądzę ogiera.

Ja szukałam dawnej szkolnej miłości, on pragnął atrakcyjnej, nowoczesnej, wyzwolonej kobiety, której przed wyborami udzielił wywiadu.

Ja wierzyłam, że moje życie nabierze sensu, on chciał zapomnieć o nudnych, niekończących się naradach w Radzie Federalnej.

Dla niego była to rozrywka z dreszczykiem emocji, dla mnie coś niewybaczalnego, okrutnego, przejaw skrajnego narcyzmu i egoizmu.

Mężczyzna zdradza, bo ma zdradę zapisaną w genach. Natomiast kobietę zdrada odziera z godności. Oddaje swoje ciało, a z nim duszę. To prawdziwa zbrodnia. Kradzież. To coś znacznie gorszego niż napad na bank, bo jeśli wyjdzie na jaw (a zwykle tak się dzieje), cała rodzina przeżywa nieodwracalną stratę.

Dla mężczyzn to „głupi wyskok", dla kobiet duchowe morderstwo, zniszczenie tych, którzy ją kochają i wspierają jako matkę i żonę.

Leżę obok mojego męża i wyobrażam sobie Jakuba obok Marianne. Pewnie ma on na głowie inne sprawy: zaplanowane na jutro rozmowy z politykami, czekające go obowiązki, długą listę spotkań. A ja, idiotka, leżę wpatrzona w sufit, wspominam każdą sekundę spędzoną w hotelu i w nieskończoność oglądam pornograficzny film, w którym zagrałam jedną z głównych ról.

Przypominam sobie chwilę, kiedy spojrzałam przez okno. Miałam nadzieję, że ktoś nas podgląda przez lornetkę i podnieca się, widząc moją uległość, poniżenie, nasz stosunek analny. Jakże mnie ta myśl wtedy podnieciła! Straciłam głowę. Nie znałam siebie z tej strony.

Mam trzydzieści jeden lat. Nie jestem dzieckiem. Zdawało mi się, że nic mnie już nie zaskoczy. A jednak. Jestem dla siebie zagadką, zachwycił mnie smak nowości i mam ochotę na więcej. Chcę spróbować wszystkiego. Masochizmu, seksu grupowego, fetyszyzmu, wszystkiego.

Nie jestem w stanie powiedzieć: dosyć, nie kocham go, to była fantazja zrodzona z samotności.

Może faktycznie go nie kocham, za to kocham to, co we mnie obudził. Upokorzył mnie, odarł z godności. Nie zawahał się i zrobił dokładnie to, czego chciał. A ja znowu zrobiłam to, co zwykle – zamiast zadowolić siebie, zadowoliłam kogoś innego.

Wyobraźnia prowadzi mnie do nieznanego, mrocznego świata. Tym razem to ja dominuję. Mam przed sobą jego nagie ciało, wydaję rozkazy, wiążę mu ręce i nogi, siadam mu okrakiem na twarzy i każę się pieścić, przeżywam kilka orgazmów i padam ze zmęczenia. Potem rozkazuję, żeby odwrócił się plecami i wkładam mu w odbyt palce: najpierw jeden, potem drugi, trzeci. On jęczy z bólu i rozkoszy, ja wolną ręką pieszczę jego członek, aż poczuję, jak wytryska z niego ciepła ciecz. Oblizuję palce, jeden po drugim, potem wycieram dłoń o jego twarz. On błaga o więcej. Odmawiam, tym razem ja tu rządzę!

Przed snem masturbuję się i mam dwa orgazmy.

Ta sama scena co zwykle: mąż czyta doniesienia prasowe na iPadzie, dzieci szykują się do szkoły, za oknem świeci słońce. Udaję, że jestem czymś zajęta, chociaż w rzeczywistości umieram ze strachu, że ktoś się czegoś domyśli.

– Jesteś dzisiaj w dobrym nastroju.

To prawda, chociaż nie powinnam. To, co wczoraj zaszło, mogło się dla wszystkich źle skończyć, przede wszystkim dla mnie. Czy mąż coś podejrzewa? Wątpię. Wierzy mi bezgranicznie. Nie dlatego, że jest idiotą, ale dlatego że ma do mnie zaufanie.

I to mnie wyprowadza z równowagi. Przecież nie można mi ufać.

Ależ tak, można. Nie mam pojęcia, jak znalazłam się w tamtym hotelu. Czy to dobre wytłumaczenie? Nie. Beznadziejne. Nikt mnie nie zmuszał. Mogę się usprawiedliwiać, że czułam się osamotniona, że otrzymywałam za mało czułości, jedynie odrobinę zrozumienia i tolerancji. Mogę wmawiać sobie różne rzeczy, na przykład, że potrzebuję nowych wyzwań, przeszkód, muszę nieustannie konfrontować się z tym, co robię, oceniać moje wybory. Mogę wmawiać sobie, że inni też przez to przechodzą, nawet jeśli wszystko dzieje się tylko w ich wyobraźni.

Jednak prawda jest banalna. Poszłam do łóżka z mężczyzną, bo bardzo tego chciałam. I tyle. Nie ma żadnego wytłumaczenia natury intelektualnej czy psychologicznej. Chciałam się pieprzyć. Koniec, kropka.

Znam ludzi, którzy pobrali się, ponieważ chcieli stabilizacji, zależało im na prestiżu i pieniądzach. Miłość była na ostatnim miejscu. Ale ja wyszłam za mąż z miłości.

Dlaczego więc zrobiłam to, co zrobiłam?

Dlaczego czuję się samotna?

Dlaczego?

– Jesteś dzisiaj w dobrym nastroju – mówi mąż.

Odpowiadam, że faktycznie mam dobry humor. Na dworze piękna jesień, dom wysprzątany, a obok siedzi mężczyzna, którego kocham.

Mąż wstaje i całuje mnie. Dzieci nie rozumieją, o czym mówimy, ale uśmiechają się.

– Ja też jestem z kobietą, którą kocham. Ale skąd ta zmiana?

A dlaczego by nie? Jest wcześnie rano. Chciałabym, żebyś powtórzył mi to dziś wieczorem, kiedy położymy się do łóżka.

Boże, kim ja jestem? Dlaczego tak się zachowuję? Żeby się nie domyślił? Dziś wyjątkowo nie jestem idealną żoną i matką, która dba o rodzinę. Po co ten wybuch czułości? Jeśli dalej będę taka miła, mąż zacznie coś podejrzewać.

– Nie mogę bez ciebie żyć – mówi i wraca do stołu.

Jestem zgubiona. Dziwne, ale nie czuję się winna.

W pracy szef składa mi gratulacje. Dziś w gazecie pojawił się mój artykuł.

– Przyszło mnóstwo e-maili. Czytelnikom spodobała się historia tajemniczego Kubańczyka. Chcą wiedzieć, kim jest. Jeśli pozwoli podać swój adres, będzie miał zapewnioną pracę na długie lata.

Kubański szaman! Kiedy przeczyta mój artykuł, przekona się, że nie umieściłam w nim ani jednego słowa z tego, co powiedział. Wszystko ściągnęłam z bloga poświęconego praktykom szamańskim. Jak widać, źle się dzieje nie tylko w moim małżeństwie. Przestałam też być rzetelnym dziennikarzem.

Opowiadam redaktorowi naczelnemu, jak Kubańczyk spojrzał mi w oczy i zagroził, że mnie przeklnie, jeśli upublicznię jego dane. Szef śmieje się i mówi, że nie powinnam wierzyć w te bzdury. Potem prosi o adres szamana – dla żony.

– Jest bardzo zestresowana.

Wszyscy są zestresowani, szaman też. Niczego nie obiecuję, ale porozmawiam z nim.

Szef nalega, żebym zadzwoniła od razu.

Dzwonię. Jestem zdziwiona zachowaniem Kubańczyka. Dziękuje mi, że nie podałam jego nazwiska i chwali głęboką znajomość tematu. Opowiadam mu o żywej reakcji czytelników i proszę o kolejne spotkanie.

– Przecież rozmawialiśmy dwie godziny! To chyba wystarczy?

Warsztat dziennikarski jest sprawą skomplikowaną. W artykule wykorzystałam niewiele z tego, co powiedział. Większość informacji znalazłam sama. Teraz chciałabym podejść do tematu nieco inaczej.

Szef przysłuchuje się rozmowie i zaczyna gestykulować. Kubańczyk chce się rozłączyć, ale ja nalegam na spotkanie, mówię, że w artykule zabrakło wielu rzeczy. Chciałabym dowiedzieć się więcej o roli kobiety w tej „duchowej wędrówce". Dodaję, że żona mojego szefa bardzo chciałaby go poznać. Kubańczyk śmieje się. Przyrzekam, że nie złamię danego wcześniej słowa. Ludzie i tak wiedzą, gdzie mieszka i przyjmuje.

Proszę się zdecydować. Jeśli nie chce pan dalej rozmawiać, znajdę kogoś innego. Nie brakuje specjalistów od leczenia nerwic. Różni ich tylko metoda, ale zapewniam pana, że w mieście jest wielu czarowników leczących ludzkie dusze. Kilku skontaktowało się z nami dziś rano, głównie Afrykańczyków, którym zależy na rozgłosie. Chcą szybko zarobić i poznać ważnych ludzi, którzy w razie potrzeby uchronią ich przed deportacją.

Kubańczyk waha się, ale w końcu zwycięża próżność i obawa przed konkurencją. Umawiamy się na spotkanie u niego. Nie mogę się doczekać, żeby zobaczyć, jak mieszka. Mój artykuł będzie przez to ciekawszy.

Jestem w jego domu, w miasteczku Veyrier. Siedzimy w małym pokoju przerobionym na gabinet. Na ścianie wiszą rysunki inspirowane kulturą indyjską. Na jednym pokazane są punkty energetyczne ciała, na drugim widnieje rysunek stopy podzielonej na obszary energetyczne. Obok, na meblościance, zbiór kryształów górskich.

Zdążyliśmy już porozmawiać o roli kobiety w rytuałach szamańskich. Kubańczyk tłumaczy, że w chwili narodzin każdy przeżywa objawienie. Dotyczy to szczególnie kobiet. Każdy naukowiec potwierdzi, że to kobiety były boginiami płodów rolnych. Ziołolecznictwo stosowane w czasach prehistorycznych także było domeną kobiet. Są wrażliwsze na rzeczywistość duchową, dlatego bywają bardziej podatne na to, co starożytni medycy nazywali „histerią", a dziś określa się mianem „choroby dwubiegunowej". Chory ze stanu euforii wpada w stan głębokiej melancholii. Według Kubańczyka, duchy chętniej nawiązują kontakt z kobietami niż z mężczyznami, ponieważ lepiej rozumieją one język pozawerbalny.

Próbuję wczuć się w jego słowa. Pytam, czy wyjątkowa wrażliwość kobiet nie naraża ich na działanie złych duchów, które mogą zmusić je do robienia rzeczy niekonwencjonalnych.

Kubańczyk nie rozumie mojego pytania. Staram się inaczej je sformułować. Kobiety są niezrównoważone

161

emocjonalnie, łatwo przechodzą ze stanu euforii w stan przygnębienia...

– Czy ja powiedziałem, że są niezrównoważone emocjonalnie? Wręcz przeciwnie. Pomimo wielkiej wrażliwości są bardziej stabilne uczuciowo od mężczyzn.

Na przykład w miłości? Kubańczyk przytakuje. Wtedy jednym tchem opowiadam mu, co mi się przydarzyło i wybucham płaczem. Szaman początkowo patrzy na mnie obojętnie, ale nawet on nie ma serca z kamienia.

– Jeśli chodzi o niewierność, techniki medytacji nic nie pomogą, ponieważ zdradzająca osoba jest zadowolona z tego, co się dzieje. Przeżywa ekscytującą przygodę, nie burząc układu, który daje jej poczucie bezpieczeństwa. To idealna sytuacja.

Co skłania ludzi do zdrady?

– To nie moja dziedzina. Mam na ten temat swoje prywatne zdanie i nie zamierzam się nim dzielić.

Proszę mi pomóc.

Kubańczyk zapala kadzidełko i każe mi usiąść na podłodze po turecku. Siada naprzeciwko mnie w tej samej pozycji. Z oschłego terapeuty zmienia się w dobrotliwego mędrca, który chce mi pomóc.

– Jeśli dorosła osoba, z takich czy innych powodów, szuka nowego partnera, nie musi to oznaczać, że jest nieszczęśliwa w małżeństwie. Nie wierzę, że głównym powodem jest seks. To raczej nuda, brak radości życia, wyzwań. Jest wiele przyczyn.

Dlaczego tak się dzieje?

– Kiedy zaczynamy oddalać się od Boga, nasze życie przestaje być spójne. Pragniemy odzyskać poczucie jedności, ale nie znamy drogi powrotnej. Trwamy w stanie ciągłego niezadowolenia. Społeczeństwo nie toleruje tego i dlatego tworzy prawa, ale one nie rozwiązują problemu.

Ciężar spadł mi z serca, nagle inaczej patrzę na świat. W oczach Kubańczyka widzę mądrość. Wie, co mówi, bo sam to przeżył.

– Miałem pacjenta, który podczas spotkań z kochanką stawał się impotentem. Mimo to uwielbiał z nią przebywać. Ona z nim też.

Nie mogę się powstrzymać i pytam, czy mówi o sobie.

– Tak. Z tego powodu opuściła mnie żona. Myślę, że nie musiała podejmować tak radykalnych kroków.

Co zrobił?

– Mogłem przywołać na pomoc duchy, ale zapłaciłbym za to w przyszłym życiu. Chciałem zrozumieć, dlaczego tak ostro zareagowała. Nie zamierzałem użyć moich mocy, magii. Postanowiłem podejść do tematu naukowo.

Ku mojemu rozczarowaniu Kubańczyk znów przyjmuje oficjalny ton.

– Psychiatrzy z uniwersytetu w Austin w Teksasie postawili pytanie, jakie zadają sobie rzesze ludzi: dlaczego mężczyźni zdradzają częściej niż kobiety? Dlaczego to robią, chociaż wiedzą, że jest to zachowanie destrukcyjne, niszczy kochające ich osoby? Doszli do wniosku, że mężczyźni i kobiety mają taką samą potrzebę niewierności, ale kobiety bardziej się kontrolują.

Patrzy na zegarek, ale proszę, żeby mówił dalej. Pewnie cieszy się, że może się przed kimś otworzyć.

– Przelotne romanse zaspokajają instynkt seksualny mężczyzny. Nie wymagają od niego zaangażowania uczuciowego. Co więcej, przyczyniają się do zachowania gatunku i sprzyjają prokreacji. Inteligentne kobiety nie powinny wypominać mężom zdrady. Mężczyzna próbuje się kontrolować, ale jego natura jest silniejsza. Czy to takie skomplikowane?

Nie.

– Zauważyła pani, że ludzie bardziej boją się pająków i węży niż samochodów, mimo że więcej ludzi ginie w wypadkach na drodze? To dlatego, że nasz umysł nadal funkcjonuje jak w czasach prehistorycznych, kiedy ludzie ginęli od ukąszeń węży i pająków. Z tego samego powodu mężczyzna pragnie wielu kobiet. Kiedyś chodził na polowania i przyroda nauczyła go, że najważniejszą rzeczą jest zachowanie gatunku. Wiedział, że musi zapłodnić jak najwięcej kobiet.

Kobiety nie odczuwały potrzeby przedłużenia gatunku?

– Oczywiście, że tak. Jednak mężczyźnie zajmuje to najwyżej jedenaście minut, a kobieta nosi dziecko w swoim łonie przez dziewięć miesięcy. Potem musi o nie dbać, wykarmić i chronić przed niebezpieczeństwem, przed wężami i pająkami. Z tego powodu jej instynkt rozwijał się inaczej. Przeważyły uczucie i samokontrola.

Jestem pewna, że mówi o sobie. Chce usprawiedliwić własne zachowanie. Rozglądam się po pokoju. Widzę obrazki, kryształy, kadzidełka. Wszyscy jesteśmy tacy sami. Robimy te same błędy i zadajemy te same pytania, które jak zwykle pozostają bez odpowiedzi.

Kubańczyk zerka na zegarek i mówi, że musimy kończyć. Zaraz przyjdzie następny klient, a on pilnuje, żeby pacjenci się nie spotykali w przedpokoju. Wstaje i odprowadza mnie do drzwi.

– Nie chcę być niegrzeczny, ale proszę do mnie więcej nie dzwonić. Powiedziałem pani wszystko, co miałem do powiedzenia.

164

W Biblii jest napisane:

Pewnego wieczora Dawid, podniósłszy się z posłania i chodząc po tarasie swego królewskiego pałacu, zobaczył z tarasu kąpiącą się kobietę. Kobieta była bardzo piękna. Dawid zasięgnął wiadomości o tej kobiecie. Powiedziano mu: «To jest Batszeba, córka Eliama, żona Uriasza Chetyty». Wysłał więc Dawid posłańców, by ją sprowadzili. A gdy przyszła do niego, spał z nią. A ona oczyściła się od swej nieczystości i wróciła do domu. Kobieta ta poczęła, posłała więc, by dać znać Dawidowi: «Jestem brzemienna».

Dawid kazał wiernemu słudze Uriaszowi stanąć na czele wojska w ważnej bitwie. Uriasz zginął i Batszeba przeniosła się do królewskiego pałacu.

Dawid, który był dla wszystkich przykładem, ideałem podziwianym przez kilka pokoleń, popełnił cudzołóstwo, a co gorsze wysłał na śmierć rywala, wykorzystując jego lojalność i dobrą wolę.

Nie szukam w Biblii usprawiedliwień dla zdrady małżeńskiej i zbrodni, ale przypomniałam sobie tę historię, o której uczyliśmy się w szkole, w tej samej szkole, gdzie wiosną z Jakubem całowaliśmy się po kątach.

Czekałam piętnaście lat, żeby móc się z nim znowu całować. A kiedy wreszcie do tego doszło, wszystko potoczyło się inaczej, niż to sobie wyobrażałam. Jakub zachował się obrzydliwie, okazał się egoistą i brutalem. A ja mimo to byłam zachwycona i jak najszybciej chciałam się z nim ponownie spotkać. W ciągu piętnastu dni widzieliśmy się cztery razy. Nie byliśmy już tacy spięci, kochaliśmy się zwyczajnie i na wszelkie wyuzdane sposoby. Nie udało mi się jeszcze zrealizować mojej erotycznej fantazji. Nie związałam Jakubowi rąk i nie kazałam mu pieścić mojego krocza, aż zacznę krzyczeć z rozkoszy, ale jestem na dobrej drodze.

Marianne staje się nieważną postacią w mojej historii. Kiedy wczoraj spotkałam się z jej mężem, zdałam sobie sprawę, jak niewiele ta kobieta dla mnie znaczy, jak bardzo jest nieobecna. Już nie chcę, żeby Madame König odkryła nasz romans i rozwiodła się z mężem. Wolę cieszyć się kochankiem, jednocześnie nie tracąc tego, co z wielkim trudem zdobyłam: dzieci, męża, pracy i tego domu.

Co zrobić z kokainą, którą w każdej chwili ktoś może odkryć? Dużo na nią wydałam, ale nie mogę jej teraz sprzedać. Wylądowałabym w więzieniu w Vandœuvres. Przyrzekłam sobie, że jej nie użyję. Może dać ją komuś, kto lubi takie rzeczy? Tylko co by ten ktoś o mnie pomyślał. A co gorsza mógłby poprosić o załatwienie następnej działki.

Kiedy zrealizowałam marzenie i znalazłam się w łóżku z Jakubem, szybko wróciłam na ziemię. Miłością nazywałam zwykłe pożądanie. Zrozumiałam, że to bajka, która wkrótce się skończy. Co więcej, nie zamierzałam jej przedłużać. Przeżyłam przygodę, złamałam tabu, zdobyłam nowe doświadczenia seksualne, poczułam radość. I to wszystko bez cienia wyrzutów sumienia. Zrobiłam sobie prezent, na który zasłużyłam po latach dobrego zachowania.

Jestem spokojna, a właściwie byłam – do dzisiaj.

Po wielu dobrze przespanych nocach czuję, że z otchłani znów wychynął smok.

Czy chodzi o zbliżające się święta Bożego Narodzenia? W tym czasie zwykle jestem przygnębiona. I to nie z powodu burzy hormonów ani niedoboru minerałów w organizmie. Cieszę się, że w Genewie świętom nie nadaje się tak koszmarnej oprawy jak w innych krajach. Kiedyś spędziłam Boże Narodzenie w Nowym Jorku. Wszędzie neony, ozdoby, na ulicach chórki, udekorowane witryny sklepów, renifery, dzwonki, ludzie z przyklejonym do ust uśmiechem. W całym tym zamieszaniu czułam się jak piąte koło u wozu. Miałam poczucie całkowitego wyobcowania. Nigdy nie brałam LSD, ale wyobrażam sobie, że potrzebowałabym potrójnej dawki, żeby zobaczyć tak zwariowane kolory.

Tutaj czasem widać dyskretne ozdoby świąteczne, wywieszane głównie ze względu na turystów. (Kupujcie! Przywieźcie dzieciom szwajcarskie prezenty!) Nie miałam czasu pojechać do centrum, dlatego nie jestem jeszcze w świątecznym nastroju. Na okolicznych kominach też nie widać kukieł Świętego Mikołaja, które przypominają, że przez cały grudzień powinniśmy być szczęśliwi.

Przewracam się z boku na bok, podczas gdy mój mąż smacznie śpi. W nocy kochaliśmy się. Ostatnio robimy to coraz częściej. Nie wiem, czy kocham się z nim, żeby ukryć romans, czy z powodu wzrostu libido. Zauważyłam, że mąż coraz bardziej mnie podnieca. Zwykle nie pyta, dlaczego wróciłam później, nie robi scen zazdrości.

Tylko za pierwszym razem był zdziwiony, kiedy musiałam szybko pójść do łazienki, żeby – zgodnie z instrukcjami Jakuba – zmyć z siebie obcy zapach i zdjąć brudne ubranie. Od tamtej pory zawsze mam przy sobie drugą parę majtek, biorę prysznic w hotelu i wchodzę do windy ze starannie zrobionym makijażem. Nie denerwuję się, nie rozglądam na boki. Dwa razy spotkałam znajomych. Specjalnie do nich podeszłam i przywitałam się, żeby potem mogli zachodzić w głowę, co tam robiłam. To bardzo poprawia samopoczucie, a przy tym jest całkowicie bezpieczne. Jeśli znajomych z miasta spotykam w hotelowej windzie, mogę przypuszczać, że oni też mają coś na sumieniu.

Zasypiam i po kilku minutach znów się budzę. Wiktor Frankenstein stworzył potwora, Doktor Jekyll poddał się tyranii pana Hyde'a. Może nie jest tak źle, ale chyba powinnam wyznaczyć sobie jakieś granice.

Potrafię być szczera, miła, czuła, konkretna. Umiem zachować zimną krew w trudnych momentach, szczególnie podczas wywiadów, kiedy ktoś zachowuje się agresywnie albo unika odpowiedzi na pytania.

169

Ostatnio odkryłam też w sobie drugą naturę, nieobliczalną, dziką, niecierpliwą, która dochodzi do głosu nie tylko w hotelowym pokoju, gdy jestem z Jakubem, ale także w życiu codziennym. Irytuję się, kiedy sprzedawca przedłuża rozmowę z klientką pomimo długiej kolejki. Chodzę do supermarketu z obowiązku i nie sprawdzam ceny ani daty ważności na opakowaniu. Jeśli słyszę opinię, z którą się nie zgadzam, od razu to mówię. Wdaję się w dyskusje polityczne. Bronię filmów, które inni krytykują i nie zostawiam suchej nitki na przebojach kinowych. Znajomi są zaskoczeni moimi absurdalnymi i niepoprawnymi poglądami. Przestałam być grzeczna i taktowna.

Szybko zauważyli zmianę w moim zachowaniu. „Jesteś jakaś inna!", mówią. Od tego już krok do zarzutu: „Coś przed nami ukrywasz", który szybko może się zmienić w oskarżenie: „Jeśli coś ukrywasz, to znaczy, że robisz rzeczy, których robić nie wolno".

Być może jestem przewrażliwiona. Czuję, że są we mnie dwie różne osoby.

Chcąc zdobyć kobietę, Dawid po prostu rozkazał sługom, żeby mu ją przyprowadzili. Nie musiał się nikomu tłumaczyć. Kiedy pojawił się problem, wysłał męża kochanki na wojnę. W moim przypadku sytuacja wygląda inaczej. Szwajcarzy są bardzo dyskretni, ale istnieją dwie sytuacje, kiedy zmieniają się nie do poznania.

Pierwsza to ruch uliczny. Wystarczy, że po zmianie świateł ruszymy o ułamek sekundy później, zaczyna się trąbienie. Kiedy zmieniamy pas, pomimo włączonego wcześniej migacza, w przednim lusterku widzimy czyjąś wściekłą twarz.

Druga sytuacja to zmiana – miejsca zamieszkania, pracy albo postawy bliskiej nam osoby. Tutaj panuje stabilizacja i wszyscy zachowują się w sposób przewidywalny. Nie można różnić się od innych albo nagle zmienić nie do poznania, bo to zagraża ładowi społecznemu. Dużo nas kosztowało stworzenie solidnych podstaw tej „idealnej budowli" i nie potrzebujemy żadnych „remontów".

Całą rodziną wybraliśmy się tam, gdzie zginął brat Wiktora Frankensteina, William. W czasach, kiedy Kalwin swoją niepokalaną dłonią zmieniał Genewę w bogobojne miasto, na te bagniste tereny przywożono chorych, którzy szybko umierali z zimna i głodu. Był to niezawodny sposób ochrony obywateli przed zarazą.

Plainpalais to rozległy obszar w centrum miasta, jedyne miejsce, gdzie nic nie rośnie. Zimą hula tu przenikliwy wiatr, latem panuje nieznośny skwar. Absurd. Ale od kiedy światem rządzi logika?

W sobotę plac zapełnia się straganami ze starociami. Pchli targ stał się turystyczną atrakcją Genewy i w wielu przewodnikach widnieje jako żelazny „punkt programu". Obok szesnastowiecznych rzeźb można tu znaleźć stare odtwarzacze wideo i posążki z brązu. Azjatyckie winiety sąsiadują z okropnymi landszaftami z lat osiemdziesiątych. Przez targ przewija się tłum ludzi. Kolekcjonerzy z uwagą przyglądają się przedmiotom i długo targują ze sprzedającymi. Jednak większość zwiedzających stanowią ciekawscy turyści. Kupują niepotrzebne rzeczy, dlatego że są tanie. Potem jadą do domu, dzień czy dwa zachwycają się nabytkiem, po czym wynoszą go do garażu. Są przekonani, że choć go nie używają, dokonali świetnego zakupu.

Muszę pilnować dzieci. Wszystkiego chcą dotknąć, od cennych kryształowych wazonów po kruche zabawki z początku XIX wieku. Ale przynajmniej odkrywają, że istnieje coś ciekawszego od gier komputerowych.

Córeczka spytała, czy możemy kupić metalowego pajaca z ruchomymi rękami, nogami i buzią. Mąż wie, że szybko straci zainteresowanie zabawką. Mówi, że pajac jest stary i obiecuje kupienie nowej zabawki w drodze powrotnej do domu. Po chwili uwagę dzieci zwraca pudełeczko z kauczukowymi kulkami, którymi kiedyś chłopcy bawili się na dworze.

Tymczasem ja zauważyłam mały obraz. Przedstawia leżącą na łóżku nagą kobietę, od której odchodzi anioł. Pytam sprzedawcę, ile kosztuje. Podaje cenę (jakieś grosze) i wyjaśnia, że to kopia wykonana przez nieznanego, lokalnego malarza. Mąż przysłuchuje się naszej rozmowie, a kiedy dziękuję sprzedawcy za wyjaśnienia, nieoczekiwanie kupuje obraz.

Dlaczego?

– Przedstawia scenę z mitologii antycznej. Opowiem ci, kiedy wrócimy do domu.

Mam ochotę na nowo zakochać się w moim mężu. Właściwie nigdy nie przestałam go kochać, chociaż nasze pożycie stało się monotonne. Miłość przetrwa rutynę, niestety namiętność wygasa.

Przechodzę trudne chwile. Wiem, że związek z Jakubem nie ma przyszłości. Mam też świadomość, że oddaliłam się od człowieka, z którym przeżyłam dekadę życia.

To nieprawda, że „miłość wystarczy". Nigdy tak nie było i nie jest. Niestety ludzie wierzą w to, co wyczytają w książkach i zobaczą w filmach. Wierzą w obrazki przedstawiające dwoje ludzi przechadzających się po plaży i trzymających za ręce. Są przekonani, że można razem podziwiać zachody słońca i codziennie kochać się w luksusowych hotelach z widokiem na Alpy. Owszem, robiliśmy to z mężem, ale magia działa nie dłużej niż dwa lata.

Potem przychodzi ślub. Wybór domu, urządzanie gniazdka, pokoi dla dzieci, które pojawiają się jedno po drugim, pocałunki, marzenia, toasty i szampan w pustym pokoju, gdzie niebawem staną meble. Po dwóch latach przychodzi na świat pierwsze dziecko. Nowy dom wkrótce staje się za ciasny. Jeśli dokupimy jeszcze jeden mebel, znajomi gotowi pomyśleć, że robimy to, żeby im zaimponować, albo zaczną podejrzewać, że kupujemy i odnawiamy starocie, żeby potem sprzedawać je za grosze na pchlim targu Plainpalais.

Po trzech latach małżeństwa każdy wie, o czym marzy i myśli partner. Podczas spotkań towarzyskich po raz kolejny wysłuchujemy z jego ust tych samych historii. Udajemy, że nigdy ich wcześniej nie słyszałyśmy, albo usilnie zapewniamy, że są prawdziwe. Seks przestaje być przejawem namiętności, a staje się obowiązkiem, dlatego uprawia się go coraz rzadziej. Małżonkowie kochają się raz w tygodniu, i to nie zawsze. Na babskich spotkaniach przyjaciółki chwalą się ognistym temperamentem swoich mężów. Każda wie, że to żałosne kłamstwa, ale próbuje dorównać pozostałym.

173

Przychodzi czas na romanse. Kobiety zaczynają plotkować o swoich nienasyconych kochankach. Tym razem w ich opowieściach jest ziarno prawdy. W końcu fantazjowanie podczas masturbacji to niemal rzeczywistość. Marzenia są tak realne, że gdy pojawi się pierwszy lepszy kandydat na kochanka, kobieta ulega, przypisując mu nie wiadomo jakie zalety. Kupuje sobie drogie ubrania i udaje stateczną damę, podczas gdy tak naprawdę kipi seksem jak szesnastolatka (chociaż nastolatka jest zdecydowanie bardziej świadoma swojej siły).

Wreszcie nadchodzi czas rezygnacji. Mąż coraz rzadziej bywa w domu, bez reszty oddaje się pracy. Żona poświęca się wychowaniu dzieci. Właśnie jestem na tym etapie i zrobię wszystko, żeby to zmienić.

Miłość nie wystarczy. Muszę na nowo zakochać się w moim mężu.

Miłość to nie tylko uczucie – to sztuka – i jak każda sztuka nie kończy się na inspiracji, lecz wymaga pracy.

Dlaczego anioł odchodzi od kobiety i zostawia ją samą?

– To nie anioł, tylko Eros, grecki bóg miłości, a dziewczyna na posłaniu to Psyche.

Otwieram butelkę wina i wyjmuję kieliszki. Mąż stawia obraz na kominku, gdzie od dawna nie palił się ogień. Kominek to dziś element wystroju często spotykany w domach z centralnym ogrzewaniem.

– Była sobie kiedyś piękna księżniczka – zaczyna mąż. – Wszyscy ją podziwiali, ale nikt nie odważył się jej oświadczyć. Zrozpaczony król poprosił o radę boga Apolla, który kazał zostawić Psyche na szczycie góry, ubraną w weselny strój. Powiedział, że zanim wstanie dzień, pojawi się wąż i ją poślubi. Król wykonał polecenie. Księżniczka czekała na oblubieńca całą noc, aż zlękniona i przemarznięta zasnęła. Obudziła się w pięknym pałacu z koroną na głowie. Od tej pory co noc mąż pojawiał się w jej łożu. Postawił jeden warunek – Psyche może mieć wszystko, czego zapragnie, ale musi pogodzić się z myślą, że nigdy nie ujrzy jego twarzy.

Straszna historia, myślę, ale milczę.

– Dziewczyna była szczęśliwa. Wiodła wygodne, spokojne i radosne życie, szaleńczo zakochana w mężczyźnie, który spędzał z nią każdą noc. Jednak ciągle bała się, że poślubiła strasznego węża. Któregoś razu przed świtem, gdy mąż jeszcze spał, zapaliła lampę. Zobaczyła w jej świetle pięknego młodzieńca, Erosa. Światło lampy zbudziło boga. Kiedy zrozumiał, że ukochana kobieta nie dochowała przysięgi, zniknął. Żeby go odzyskać, Psyche udała się na służbę do Afrodyty, matki Erosa. Teściowa zazdrościła dziewczynie urody i robiła wszystko, żeby nie dopuścić do pogodzenia się pary. Pewnego dnia wbrew zakazowi Psyche otworzyła tajemniczą szkatułkę i zapadła w głęboki sen.

Z coraz większym zainteresowaniem czekam na koniec historii.

– Eros kochał Psyche i miał wyrzuty sumienia, że nie był wobec niej wystarczająco wyrozumiały. Któregoś razu wszedł niezauważony do pałacu i ugodził ukochaną strzałą. Gdy Psyche obudziła się, powiedział: „Twoja ciekawość niemal doprowadziła cię do grobu. Tak bardzo zależało ci na poznaniu prawdy, że zniszczyłaś nasz związek". Na szczęście w miłości błędy można naprawić. Małżonkowie udali się do Zeusa, boga wszystkich bogów, i błagali, żeby na zawsze ich połączył. Zeus przejął się sprawą. Prośbą i groźbą przekonał Afrodytę do zmiany decyzji. Od tej pory Psyche (to nasza działająca logicznie podświadomość) i Eros (miłość) są nierozłączni.

Napełniam kieliszki i opieram głowę na ramieniu męża.

– Kto tego nie rozumie i próbuje zgłębić tajemnicę związku, traci to, co w życiu najlepsze.

Dziś czuję się jak Psyche na szczycie góry, zmęczona i zmarznięta. Jeśli przetrwam noc, poddam się działaniu rzeczy tajemnych i uwierzę w siłę życia, obudzę się w pałacu. Potrzebuję tylko czasu.

Nadszedł wielki dzień. Spotykamy się wszyscy czworo na przyjęciu zorganizowanym przez znanego prezentera lokalnej telewizji. Rozmawialiśmy o tym wczoraj leżąc w hotelowym łóżku, kiedy Jakub jak zwykle przed wyjściem palił papierosa.

Nie mogłam nie pójść, ponieważ zaproszenie przyjęłam dawno temu. Podobnie Jakub. Powiedział, że gdyby odmówił, „zaszkodziłoby to jego karierze".

Kiedy przyjeżdżamy z mężem do siedziby telewizji, portier kieruje nas na ostatnie piętro. Idziemy do windy. Nagle dzwoni moja komórka. Wychodzę z tłumu czekających przed windą, wracam do holu i odbieram telefon. Dzwoni mój szef. Mijają mnie znajomi, dyskretnie kłaniają mi się z uśmiechem. Znam tu prawie wszystkich.

Szef mówi, że opublikowany miesiąc temu artykuł o Kubańczyku nadal cieszy się wielkim zainteresowaniem. Zleca mi napisanie następnego. Wyjaśniam, że Kubańczyk nie zamierza więcej ze mną rozmawiać. Redaktor naczelny prosi, żebym poszukała kogoś innego „z tej branży". Nie chce nudnych wykładów naukowców (psychologów, socjologów, itp.). Mówię, że nie znam nikogo innego z „branży", ale obiecuję, że pomyślę.

Przechodzą Jakub i Madame König. Pozdrawiają mnie lekkim skinieniem głowy. Szef chce się rozłączyć, ale przedłużam rozmowę. Nie mogę przecież wsiąść z nimi do windy! A może by nagrać rozmowę księdza z pastorem? Ciekawe, jakie mają rady na stres i nudę. Szef podchwytuje pomysł, ale po chwili znowu sugeruje, że lepszy byłby ktoś z „branży". Dobrze, spróbuję. Drzwi zamknęły się i winda pojechała na górę. Nareszcie mogę się rozłączyć. Tłumaczę szefowi, że nie chcę spóźnić się na przyjęcie. Są dwie minuty po czasie, a żyjemy w kraju, gdzie zegarki chodzą idealnie.

Od kilku miesięcy zachowuję się dziwnie, ale jedna rzecz się nie zmieniła – nie cierpię przyjęć. Nie rozumiem, dlaczego ludzie za nimi przepadają.

Naprawdę. Nawet jeśli jest to oficjalna okazja, taka jak dzisiejszy koktajl. Właśnie, to koktajl, a nie przyjęcie. Goście przyszli wystrojeni, panie umalowane. Pewnie nie omieszkali powiadomić znajomych, że we wtorek są zajęci, bo dostali zaproszenie na obchody dziesięciolecia programu „Pardonnez-moi", prowadzonego przez przystojnego, inteligentnego i fotogenicznego Dariusa Rochebin. Pojawią się różne „ważne osobistości", a zwykli obywatele będą musieli zadowolić się zdjęciami celebrytów w kolorowych pismach, które docierają do najodleglejszych zakątków frankofońskiej Szwajcarii.

Obecność na takiej imprezie podnosi status i umacnia pozycję towarzyską. Raz na jakiś czas moja gazeta także zamieszcza informacje o tego typu wydarzeniach. Następnego dnia do redakcji wydzwaniają adwokaci ważnych osób. Chcą wiedzieć, czy opublikujemy zdjęcia ich klientów i dodają, że byłoby to mile widziane. Nie ma nic lepszego od sytuacji, kiedy prasa odnotuje obecność znanej persony na bankiecie. Żeby uwiarygodnić informację, dwa dni później należy pojawić się w siedzibie gazety w kreacji, w jakiej było się na raucie (w końcu została specjalnie zamówiona na tę okazję, choć nikt tego nie mówi wprost), a do twarzy przykleić nieco zużyty uśmiech znany z wielu poprzednich przyjęć. Jak to dobrze, że nie prowadzę rubryki towarzyskiej. W nowym wcieleniu potwora Wiktora Frankensteina szybko straciłabym pracę.

Otwierają się drzwi do windy. W holu na górze czeka kilku fotoreporterów. Wchodzimy do głównej sali, z której rozciąga się widok na miasto. Pogoda sprzyja Dariusowi: mgła ustąpiła, odsłaniając w dole morze świateł.

Mówię mężowi, że nie zamierzam być tu długo i dodaję coś bez sensu, żeby ukryć zmieszanie.

– Wyjdziemy, kiedy zechcesz – przerywa moją paplaninę.

Zaczynam wymieniać uprzejmości z niezliczoną liczbą osób, które traktują mnie jak przyjaciółkę. Nie wiem, jak się nazywają, ale z każdym grzecznie się witam. Ilekroć rozmowa przedłuża się, uciekam się do niezawodnej sztuczki – przedstawiam mojego męża i milknę. On wita się i pyta o nazwisko rozmówcy. Kiedy pada odpowiedź, ze zdziwieniem zauważam: „Jak to, nie pamiętasz pana...?", po czym wymieniam osobę z imienia i nazwiska.

Co za cynizm!

Po powitaniach siadamy w kącie. Zniechęcona pytam męża, skąd u ludzi ta nieodparta potrzeba upewniania się, czy ich pamiętamy. Prowadzi to do niezręcznych sytuacji. Każdy czuje się ważny i wydaje mu się, że powinnam go pamiętać, a przecież z powodu wykonywanego zawodu codziennie poznaję dziesiątki nowych osób.

– Powinnaś być bardziej wyrozumiała. Zobacz, wszyscy się nieźle bawią.

Mój mąż nie wie, co mówi. Goście udają, że się dobrze bawią. Tak naprawdę chcą tylko się pokazać, ściągnąć na siebie uwagę albo ubić z kimś interes. W rzeczywistości los ludzi, którzy wierzą w swoją urodę, władzę i moc sprawczą czerwonego dywanu, spoczywa w rękach źle opłacanego redaktora jakiejś gazety, do którego e-mailem przychodzą setki zdjęć. To on zdecyduje, kto pojawi się w naszym malutkim, tradycyjnym i zaściankowym świecie, to on umieści zdjęcia liczących się gości, zostawiając trochę miejsca na ogólne ujęcie sali bankietowej (koktajlu, kolacji, rautu). W tłumie anonimowych osób, które żyją przeświadczone o swojej wyjątkowości, będzie można rozpoznać jedną, może dwie twarze.

Na scenę wchodzi Darius. Opowiada o dziesięciu latach pracy w programie i o znanych osobach, z którymi przeprowadzał wywiady. Próbuję się odprężyć. Podchodzę z mężem do okna. Mój wewnętrzny radar namierzył Jakuba i Madame König. Staram się trzymać od nich z daleka. Domyślam się, że Jakubowi też na tym zależy.

– Coś się stało?

Wiedziałam. Kim dziś jestem? Doktorem Jekyllem czy panem Hyde'em? Wiktorem Frankensteinem czy jego potworem?

Nie, mój drogi, nic się nie stało. Staram się tylko unikać mężczyzny, z którym byłam wczoraj w łóżku. Mam wrażenie, że wszyscy o tym wiedzą i że na czole oboje mamy wypisane słowo „kochankowie".

Uśmiecham się i mówię, że jestem za stara na takie imprezy. Wolałabym zostać w domu z dziećmi, zamiast powierzać je opiece niani. Nie lubię pić ani witać się i rozmawiać z dziesiątkami osób, bo po chwili jestem rozkojarzona. Muszę udawać zainteresowanie, pytaniem odpowiadać na pytanie, chrupać słone paluszki i szybko je połykać, żeby nie mówić z pełnymi ustami.

Na spuszczonym z góry ekranie pokazany zostaje krótki film o najważniejszych gościach programu Dariusa. Kilku z nich znam osobiście, ale większość to obcokrajowcy, którzy byli w Genewie przejazdem. Jak wiadomo w naszym mieście zawsze przebywa jakiś ważny gość i obowiązkowo pojawia się w programie telewizyjnym.

– Chodźmy do domu. Darius już cię widział. Spełniłaś swój obowiązek. Wypożyczymy film i spędzimy wieczór przed telewizorem.

Nie. Zostańmy jeszcze trochę. Jakub i Madame

König nadal tu są. Wzbudzimy podejrzenia, jeśli wyjdziemy przed końcem oficjalnej części wieczoru. Darius zaprasza na scenę osoby, które wystąpiły w jego programie. Każdy opowiada o swoich wrażeniach. Umieram z nudów. Samotni mężczyźni zaczynają nerwowo rozglądać się dookoła, szukając w tłumie samotnych pań. Kobiety lustrują się nawzajem, oceniając strój i makijaż. Sprawdzają, czy rywalka przyszła z mężem, czy z kochankiem. Patrzę przez okno i czekam na dogodny moment, żeby się wymknąć.

– Teraz ty!

Ja?

– Kochanie, jesteś proszona na scenę!

Darius zaprasza mnie na podium. Pojawiłam się kiedyś w jego programie razem z byłą prezydent Szwajcarii. Rozmawialiśmy o prawach człowieka. Ale nie jestem żadną ważną personą. Nikt mnie nie uprzedził, nie jestem przygotowana.

Darius daje znak, ludzie patrzą na mnie z uśmiechem. Idąc w jego kierunku, mam czas, żeby się uspokoić. W duchu cieszę się, że Marianne nie zostanie zaproszona na scenę. Jakuba też nikt nie poprosi, bo wieczór ma być przyjemny. Nie można go zepsuć rozmową o polityce.

Wchodzę po schodach na zaimprowizowaną scenę – dwie kanapy na podeście – i całuję Dariusa w policzek. Plotę coś o tym, jak zostałam zaproszona do programu. Samotni mężczyźni nadal czujnie się rozglądają, a kobiety lustrują rywalki. Osoby przy scenie udają, że mnie słuchają. Szukam wzrokiem męża. Podczas publicznych wystąpień, trzeba wybrać sobie jeden punkt, w którym utkwimy wzrok. Po chwili dzieje się coś, czego nie przewidziałam: do mojego męża podchodzą Jakub i Marianne Königowie. Od wejścia na scenę minęły może dwie minuty. Zdążyłam powiedzieć kilka słów, po czym znów zaczęli krążyć kelnerzy. W poszukiwaniu innych atrakcji goście odwrócili się od sceny.

Pośpiesznie dziękuję za uwagę. Rozlegają się oklaski.

Darius całuje mnie w policzek. Idę w kierunku męża i państwa Königów, ale po drodze co rusz ktoś mnie zatrzymuje. Gratulują mi wystąpienia, cytują słowa, których nie powiedziałam. Mówią, że wypadłam wspaniale, są zachwyceni moimi artykułami o szamanie, sugerują, jakimi tematami powinnam się zająć, wciskają swoje wizytówki i dyskretnie napomykają o „źródłach" informacji, które mogą okazać się „bezcenne". Mija dziesięć minut. Kiedy kończę misję i zbliżam się do miejsca, gdzie niedawno stałam poza zasięgiem reflektorów, cała trójka wita mnie z uśmiechem. Gratulują, mówią, że świetnie wypadam podczas wystąpień publicznych.

Na koniec z ust mojego męża pada wyrok:

– Mówiłem, że jesteś zmęczona i zostawiliśmy dzieci z nianią, ale pani König nalega, żebyśmy poszli razem na kolację.

– Bardzo proszę! Na pewno są państwo głodni, prawda? – odzywa się Marianne.

Jakub popiera prośbę żony. Uśmiecha się, ale wygląda jak baranek prowadzony na rzeź. W ułamku sekundy wymyślam sto powodów, żeby nie iść, ale po chwili przychodzi refleksja – dlaczego nie? Przecież jestem w posiadaniu sporej działki kokainy. W każdej chwili mogę jej użyć. Nadarza się świetna „okazja", żeby podjąć ostateczną decyzję, czy realizować plan, czy z niego zrezygnować.

Poza tym zżera mnie niezdrowa ciekawość, jak będzie wyglądała nasza wspólna kolacja.

Z przyjemnością przyjmuję zaproszenie, Madame König.

•

Marianne proponuje restaurację w Hôtel des Armures. Mało oryginalny wybór. Zwykle zaprasza się tam zagranicznych gości. Trzeba przyznać, że *fondue* podają tam doskonałe, obsługa dwoi się i troi, próbując mówić wszystkimi językami świata, a do tego hotel położony jest w sercu starego miasta, ale dla mieszkańca Genewy to żadna atrakcja.

Przyjeżdżamy na miejsce po Königach. Jakub stoi przed hotelem. Marznie na dworze, bo musi zapalić. Marianne jest już w środku. Proszę męża, żeby dotrzymał jej towarzystwa, a ja zostanę z panem Königiem i poczekam, aż wypali papierosa. Mąż zauważa, że to ja powinnam wejść do środka, ale nalegam. Lepiej nie zostawiać dwóch kobiet samych przy jednym stole, nawet na kilka minut.

– Zaskoczyła mnie tym zaproszeniem – przyznaje Jakub, gdy zostajemy sami.

Udaję, że nic się nie stało. Czyżby czuł się winny? Nie chce zniszczyć szczęśliwego małżeństwa? (Z trudem powstrzymuję się, żeby nie dodać „z tą lodowatą wiedźmą".)

– Nie w tym rzecz. Chodzi o to, że...

Zjawia się wiedźma. Ze złośliwym uśmieszkiem znowu całuje mnie trzy razy w policzki. Każe mężowi zgasić papierosa i natychmiast wejść do środka. Domyślam się, co chce przez to powiedzieć: „Wszystko wiem. Znowu coś knujecie, ale ja jestem sprytniejsza niż myślicie".

Zamawiamy nasze ulubione dania: *fondue* i *raclette*. Mąż wyłamuje się, mówi, że ma dosyć sera, chce spróbować czegoś innego. Prosi o kiełbaskę, która także należy do tradycyjnego menu dla zagranicznych gości. Przynoszą nam butelkę wina, chociaż tym razem Jakub nie degustuje alkoholu i nie kręci kieliszkiem z winem przed ostatecznym wyborem. Zachował się tak idiotycznie na pierwszym spotkaniu, bo chciał mi zaimponować. Czekając na jedzenie, rozmawiamy o głupstwach. Kończymy pierwszą butelkę i zamawiamy drugą. Proszę męża, żeby więcej nie pił, bo znów będziemy musieli zostawić samochód przed restauracją, a dziś jesteśmy jeszcze dalej od domu.

Przynoszą jedzenie. Otwieramy trzecią butelkę, trwa

miła rozmowa. Jak przystało na wytrawnego polityka, Jakub gratuluje mi artykułów o stresie („nietypowe podejście do tematu"). Potem pyta mojego męża, czy to prawda, że uchylenie tajemnicy bankowej spowoduje spadek cen mieszkań. Tysiące bankierów już przenosi się do Singapuru i Dubaju, niedługo wszyscy będziemy tam spędzać sylwestra.

Czekam, kiedy na arenę wkroczy wściekły byk. Piję więcej, niż powinnam. Kiedy jestem rozluźniona i radosna, otwierają się wrota i na arenę wpada bestia.

– Ostatnio rozmawiałam ze znajomymi o zazdrości. Idiotyczne uczucie – mówi Madame König. – Co o tym myślicie?

Mamy wypowiedzieć się na temat, którego nigdy nie porusza się podczas tego rodzaju wieczorów? Wiedźma ostrożnie dobiera słowa. Pewnie od rana knuła intrygę. Nazwała zazdrość „idiotycznym uczuciem", żeby mnie sprowokować.

– Jako dziecko byłem świadkiem strasznych scen zazdrości w domu – mówi mój mąż.

Co to ma znaczyć? Obcej osobie zwierza się ze swoich prywatnych spraw?

– Dlatego przyrzekłem sobie, że po ślubie nigdy nie dopuszczę do podobnej sytuacji. Na początku było mi trudno, bo podświadomie chciałem nad wszystkim panować, nawet nad tym, na co człowiek nie ma wpływu, to znaczy nad miłością i wiernością mojej żony. Ale udało się. Linda codziennie spotyka różnych ludzi, czasem późno wraca do domu, a mimo to nigdy nie usłyszała ode mnie złego słowa ani aluzji.

Coś podobnego! Nie wiedziałam, że jest o mnie zazdrosny. Wiedźma potrafi każdego zmusić do posłuszeństwa: idziemy na kolację, zgaś papierosa, rozmawiamy na wybrany przez mnie temat.

Są dwa powody, które mogły skłonić mojego męża do tej wypowiedzi. Po pierwsze, zaproszenie na kolację wydało mu się podejrzane i chce mnie chronić.

Po drugie, chce mi wyznać przy świadkach, że jestem dla niego ważna. Wyciągam rękę i głaszczę go po dłoni. Zaskoczył mnie. Myślałam, że nie interesuje się moimi sprawami.

– A pani, Lindo? Nie jest pani zazdrosna o męża?

Ja?

Oczywiście, że nie. Ufam mu. Uważam, że zazdrość to problem ludzi chorych, niepewnych siebie, zakompleksionych, którzy boją się, że ktoś może zagrozić ich związkowi. A co pani myśli na ten temat?

Marianne wpada w zastawioną przez siebie pułapkę.

– Tak jak powiedziałam, uważam, że zazdrość jest idiotyczna.

Owszem, tak się wyraziła. Ciekawe, co by zrobiła, gdyby dowiedziała się, że mąż ją zdradza?

Jakub jest blady jak kreda. Kiedy zadaję pytanie jego żonie, z trudem powstrzymuje się, by jednym haustem nie opróżnić kieliszka.

184

– Jestem przekonana, że mój mąż codziennie spotyka właśnie takich zakompleksionych, przeciętnych ludzi, którzy marzą, żeby wyrwać się ze swoich nudnych związków i rutyny. Pani pewnie też poznaje takie osoby, na przykład w swojej redakcji. Zanim się obejrzą, zmarnują w pracy całe życie i z reporterów zmienią się w emerytów...

Odpowiadam spokojnie, że faktycznie znam wiele takich przypadków, i sięgam po *fondue*. Marianne patrzy mi w oczy. Wiem, że mówi o mnie, ale nie mogę pozwolić, żeby mój mąż czegoś się domyślił. Nie obchodzą mnie Madame König i Jakub, który pewnie nie wytrzymał i wszystko jej wyznał.

Jestem zaskoczona własnym spokojem. Może to wino, a może wyrwany ze snu potwór, którego ta sytuacja bawi. A może po prostu przyjemność przeciwstawienia się kobiecie, która myśli, że zjadła wszystkie rozumy.

Proszę ją, żeby mówiła dalej i maczam kawałek chleba w roztopionym serze.

– Pewnie domyślacie się, że niekochane kobiety nie są dla mnie żadnym zagrożeniem, chociaż nie ufam bezgranicznie Jakubowi. Wiem, że kilka razy mnie zdradził. Ciało jest słabe...

Jakub wybucha nerwowym śmiechem i sięga po kieliszek. Opróżniliśmy kolejną butelkę. Marianne wzywa kelnera i zamawia następną.

– Pogodziłam się z tym. Uważam, że tak jest w każdym związku. Gdyby dziwki nie uganiały się za moim mężem, uznałabym, że jest nieatrakcyjny. Wiecie, co czuję? Nie tyle zazdrość, co podniecenie. Nieraz zdzieram z siebie ubranie, podchodzę do niego naga i każę mu robić ze mną to, co robi z innymi. Kiedy uprawiamy seks, proszę go, żeby opowiadał mi, jak mu było z kochanką. Wtedy jeszcze bardziej się podniecam.

– Marianne fantazjuje – przerywa jej słabym głosem Jakub. – Wymyśla niestworzone historie. Ostatnio zaproponowała wypad do klubu swingersów w Lozannie.

Mówi prawdę, ale wszyscy, łącznie z Marianne, wybuchamy śmiechem.

Z przerażeniem widzę, że Jakubowi podoba się, gdy jego żona przedstawia go jako „niewiernego macho". Mój mąż słucha Marianne z rosnącym zainteresowaniem. Pyta, co ją podnieca w romansach męża. Potem prosi o adres klubu swingersów. Patrzy na mnie błyszczącymi oczami i mówi, że powinniśmy spróbować czegoś nowego. Nie wiem, czy stara się rozładować napięcie, czy rzeczywiście ma ochotę na eksperymenty.

Marianne odpowiada, że nie pamięta adresu, ale jeśli zostawi jej numer telefonu, prześle mu go esemesem.

Pora działać. Mówię, że osoby chorobliwie zazdrosne w towarzystwie udają wyjątkowo tolerancyjne. Uwielbiają aluzje, bo w ten sposób zdobywają informacje o swoich partnerach. Co za naiwność. Tym sposobem niczego nie osiągną. Na przykład ja mogłabym mieć romans z pani mężem, a pani i tak niczego by nie zauważyła. Jestem zbyt sprytna, żeby wpaść w pułapkę.

Mówię zbyt głośno. Mąż rzuca mi zdziwione spojrzenie.

– Kochanie, nie przesadzasz?

Nie. To nie ja zaczęłam tę rozmowę i nie wiem, do czego Madame König zmierza. Od kiedy tu weszliśmy, ciągle robi jakieś aluzje. Mam tego dosyć. Nie widzisz, jak na mnie patrzy? Każe nam rozmawiać o sprawach, które absolutnie nikogo nie interesują.

Marianne patrzy na mnie zaskoczona. Pewnie nie spodziewała się takiej reakcji. Przyzwyczaiła się, że wszystkimi rządzi.

Dodaję, że znam kilka obsesyjnie zazdrosnych osób. Nie obchodzi ich, czy mąż albo żona ich zdradzają. Po prostu nie mogą znieść sytuacji, że nie są w centrum zainteresowania. Jakub wzywa kelnera i prosi o rachunek. Świetnie. W końcu to oni nas zaprosili i powinni zapłacić.

Patrzę na zegarek i udaję zdziwienie. Nianię dawno powinniśmy wypuścić! Wstaję, dziękuję za kolację i idę do szatni po płaszcz. Słyszę, że przy stole zaczyna się rozmowa o dzieciach i odpowiedzialności, jaka wiąże się z rodzicielstwem.

– Czy pańska żona naprawdę myślała, że mówię o niej? – słyszę, jak Marianne zwraca się do mojego męża.

– Oczywiście, że nie. Nie miała powodu.

Wychodzimy na dwór w milczeniu. Zrobiło się chłodno. Wciąż jestem zdenerwowana. Upieram się, że Marianne mówiła o mnie. To neurotyczka. Już w dniu wyborów zaczęła coś mi sugerować. Za wszelką cenę chce być w centrum uwagi. Do tego umiera z zazdrości o tego idiotę, który wszędzie musi zachowywać się nienagannie. Trzyma go żelazną ręką i kieruje jego karierą polityczną. Pewnie sama chciałaby znaleźć się na podium i mówić ludziom, co jest dobre, a co złe.

Mąż zauważa, że za dużo wypiłam i powinnam się uspokoić.

Mijamy katedrę. Miasto znów spowiła mgła i rynek wygląda jak plan zdjęciowy horroru. Łatwo sobie wyobrazić, że za rogiem, z nożem w ręku, czai się Marianne, a Genewa jest średniowiecznym miastem, gdzie nieustannie trwają walki z Francuzami.

Mróz i spacer nie koją moich nerwów. Wsiadamy do samochodu, a gdy dojeżdżamy do domu, idę do sypialni i połykam dwie tabletki valium. W tym czasie mąż płaci niani i kładzie dzieci do łóżek.

Śpię nieprzerwanie dziesięć godzin. Kiedy rano wstaję, mąż wydaje się mniej czuły niż zwykle. Zmiana jest niemal niezauważalna, ale coś musiało go wczoraj zaboleć. Nie wiem, co robić. Nigdy dotąd nie brałam dwóch tabletek valium na raz i jestem półprzytomna. Ten letarg różni się od znanego mi stanu samotności i przygnębienia.

Wychodzę do pracy. Sprawdzam wiadomości w komórce. Jest esemes od Jakuba. Waham się, czy go przeczytać, ciekawość okazuje się silniejsza od nienawiści.

Wysłał go dziś rano.

„Wszystko zepsułaś. Marianne nie miała pojęcia, że coś nas łączy, teraz zaczęła się domyślać. Wpadłaś w jej sidła".

Czuję się niekochana i nieszczęśliwa. Marianne miała rację – taka jestem. Erotyczna zabawka dla głupiego pieska, który śpi u jej boku. Prowadzę nerwowo. Płaczę, przez łzy ledwo widzę drogę. Słyszę, jak ktoś na mnie trąbi, ale kiedy zwalniam, trąbienie się wzmaga.

Jak mogłam być tak głupia? Sprowokowałam Marianne i zaczęła się czegoś domyślać. Jeszcze większą głupotą było ryzykowanie utraty wszystkiego, co mam – męża, rodziny, pracy.

Nagle dociera do mnie, że prowadząc samochód w takim stanie – zdenerwowana i pod wpływem środków uspokajających – ryzykuję własne życie. Parkuję w bocznej uliczce i wybucham płaczem. Szlocham tak głośno, że ktoś podchodzi i pyta, czy nie potrzebuję pomocy. Odpowiadam, że nie. Skłamałam, bardzo potrzebuję pomocy. Zapadam się w sobie, pochłania mnie bagno, które jest we mnie. Nie potrafię utrzymać się na powierzchni.

Rozsadza mnie nienawiść. Pewnie Jakub pozbierał się już po wczorajszej kolacji i nie będzie chciał mnie więcej widzieć. To moja wina, przekroczyłam wszelkie granice. Byłam przekonana, że wszyscy mnie o coś podejrzewają. Może powinnam do niego zadzwonić i przeprosić? Wiem, że nie odbierze komórki. Właściwie najpierw powinnam zadzwonić do męża i spytać, czy wszystko w porządku. Do perfekcji opanował sztukę ukrywania uczuć, ale dobrze go znam i widzę, kiedy jest rozdrażniony albo spięty. Nie, nie chcę wiedzieć, jak się czuje. Bardzo się boję. Mam ściśnięty żołądek, kurczowo trzymam się kierownicy. Płaczę najgłośniej, jak potrafię. Krzyczę, klnę, robię scenę w jedynym miejscu, gdzie czuję się bezpieczna – we własnym samochodzie. Człowiek, który chciał mi pomóc, szybko odchodzi w obawie, że zrobię coś strasznego. Spokojnie, nic się nie stanie. Muszę tylko się wypłakać. Czy to takie straszne?

Wreszcie zrozumiałam, że wyrządziłam sobie wielką krzywdę. Chcę cofnąć czas, ale to niemożliwe. Powinnam obmyślić plan, jak odzyskać utraconą pozycję, ale nic nie przychodzi mi do głowy. Ryczę jak bóbr, czuję wstyd i nienawiść.

Jak mogłam być tak naiwna? Dlaczego podejrzewałam, że Marianne wszystkiego się domyśla? To proste – czułam się winna, napiętnowana. Chciałam ją upokorzyć, zniszczyć w obecności jej męża, dla którego byłam tylko zabawką. Wiem, że nie kocham Jakuba, ale dzięki niemu odzyskałam radość życia, wydobyłam się ze studni samotności, w której tkwiłam głęboko. I wszystko na nic. Muszę wrócić do rzeczywistości, do robienia zakupów w wyznaczone dni tygodnia, do czterech ścian domu, który kiedyś był dla mnie oazą, a dziś jest więzieniem. Muszę się pozbierać. Powiem mężowi prawdę.

Jestem pewna, że zrozumie. Jest dobrym, inteligentnym człowiekiem, dla którego rodzina jest najważniejsza. A co będzie, jeśli nie zrozumie? Stwierdzi, że ma dosyć, uzna, że zabrnęliśmy w ślepy zaułek i nie chce już żyć z kobietą, która najpierw miała depresję, a teraz rozpacza, bo zostawił ją kochanek?

Przestaję płakać i zaczynam trzeźwo myśleć. Trzeba jechać do pracy. Nie mogę spędzić całego dnia w bocznej uliczce z udekorowanymi świątecznie domami zamieszkałymi przez szczęśliwe rodziny, i patrzeć, jak mijają mnie obojętni przechodnie, nieświadomi tego, że mi się zawalił cały świat.

Muszę się zastanowić, przemyśleć, co w tej chwili jest najważniejsze. Czy przez najbliższe dni, miesiące, lata będę w stanie odgrywać rolę oddanej żony, jednocześnie czując się jak zranione zwierzę? Nigdy nie byłam zbyt zdyscyplinowana, ale nie mogę zachowywać się jak histeryczka.

Ocieram łzy i rozglądam się. Pora jechać? Jeszcze chwila. Ostatnie wydarzenia przyniosły przynajmniej jedną dobrą zmianę. Męczyło mnie życie w kłamstwie. Nie wiem, na ile mój mąż mi ufa. Czy mężczyźni domyślają się, kiedy kobiety udają orgazm? Być może, ale nigdy się tego nie dowiem.

Wysiadam z samochodu i płacę za parkowanie więcej, niż powinnam. Muszę się przejść. Dzwonię do pracy i na poczekaniu wymyślam wymówkę: dziecko ma biegunkę i muszę z nim jechać do lekarza. Szef mi wierzy, przecież Szwajcarzy nie kłamią.

Ja kłamię. Codziennie. Straciłam poczucie własnej wartości i nie wiem, co dalej robić. Szwajcarzy mocno stąpają po ziemi. Ja żyję w świecie iluzji. Szwajcarzy potrafią rozwiązywać swoje problemy. Ja nie umiem i dlatego doprowadziłam do sytuacji, w której byłam rozdarta pomiędzy idealną rodziną i wspaniałym kochankiem.

•

Przechadzam się po ukochanym mieście, gdzie poza paroma ulicami dla turystów sklepy wyglądają tak samo jak w latach pięćdziesiątych, a ich właściciele nie zamierzają niczego w tym względzie zmieniać. Ochłodziło się, ale na szczęście przestało wiać i jest przyjemnie. Chcę się odprężyć, więc wstępuję do księgarni, potem do rzeźnika i sklepu odzieżowego. Za każdym razem, kiedy wychodzę na ulicę, czuję, jak chłód gasi mój wewnętrzny ogień.

Czy można dowiedzieć się, jak pokochać odpowiedniego mężczyznę? Oczywiście, że tak. Trudniej przestać kochać niewłaściwego mężczyznę, który wtargnął do mojego świata bez pozwolenia, bo akurat przechodził obok i zauważył otwarte drzwi.

Co chciałam osiągnąć romansując z Jakubem? Od początku wiedziałam, że nasz związek nie ma przyszłości, chociaż nie przypuszczałam, że zakończy się w tak upokarzający dla mnie sposób. Mam to, czego chciałam. Przeżyłam przygodę i zaznałam szczęścia. A może chciałam czegoś więcej? Zamieszkać z Jakubem, wspierać jego karierę lepiej niż to robi jego żona, dać mu czułość, której mu brakuje, a przynajmniej tak wynikało z naszej pierwszej rozmowy. Chciałam wyrwać go z domu, jak zrywa się kwiat z cudzego ogródka. Chciałam przesadzić go do innej ziemi, choć wiedziałam, że tego nie zniesie.

Ogarnia mnie zazdrość. Tym razem nie płaczę, tylko czuję obezwładniającą nienawiść. Podchodzę do przystanku autobusowego i siadam na ławce. Patrzę na wsiadających i wysiadających pasażerów. Każdy tkwi w swoim malutkim świecie mieszczącym się w przyklejonym do ucha telefonie komórkowym.

Autobusy podjeżdżają i odjeżdżają. Ludzie idą w pośpiechu, być może z powodu dokuczliwego zimna. Ale są i tacy, którzy nigdzie się nie spieszą. Z niechęcią myślą o pracy, o szkole, o powrocie do domu. Mimo to nie okazują gniewu ani radości, nie są szczęśliwi ani smutni. Zachowują się jak potępione dusze spełniające swoją powinność, którą przypisano im w dniu narodzin.

Po jakimś czasie uspokajam się. Rozwiązałam część mojej wewnętrznej łamigłówki. Zrozumiałam, skąd biorą się napady nienawiści, które pojawiają się i znikają jak autobusy na przystanku. Boję się, że na zawsze straciłam to, co było dla mnie najważniejsze – rodzinę. Przegrałam walcząc o szczęście. To mnie upokarza i nie pozwala zobaczyć, co jest na horyzoncie.

A mój mąż? Wieczorem muszę z nim szczerze porozmawiać, wszystko wyznać. Czuję, że to przyniesie mi ulgę, nawet jeśli będę musiała ponieść konsekwencje swoich złych wyborów. Nie będę więcej okłamywać męża, szefa, siebie.

Ale teraz nie chcę o tym myśleć. Zżera mnie zazdrość. Nie mam siły wstać z ławki, jakbym była do niej przywiązana ciężkim, trudnym do udźwignięcia łańcuchem.

Czy Marianne rzeczywiście lubi słuchać opowieści męża o kochankach, a w łóżku robi z nim to, co ja? Kiedy pierwszego dnia w hotelu Jakub wyjął prezerwatywę, mogłam się domyślić, że sypia z innymi kobietami. Sposób, w jaki mnie posiadł, świadczył, że byłam jedną z wielu. Nieraz miałam takie wrażenie i wychodząc z hotelowego pokoju, obiecywałam sobie, że więcej tam nie wrócę. Wiedziałam jednak, że znowu siebie okłamuję i zjawię się na każde skinienie Jakuba.

Udawałam, że wiem. Wmawiałam sobie, że w tej przygodzie liczy się tylko seks, ale to była nieprawda. W bezsenne noce i puste dni wypierałam się tego uczucia, chociaż byłam w Jakubie zakochana po uszy.

Co mam robić? Podejrzewam – właściwie to jestem pewna – że po ślubie każdy przeżywa erotyczne fascynacje. Nie wolno tego robić, tak samo jak flirtować, ale to nadaje życiu smak. Tylko nieliczni mają odwagę złamać zakaz. Kiedyś w gazecie przeczytałam, że jedna osoba na siedem przekracza dozwoloną granicę, a spośród tych śmiałków jeden na sto traci głowę i zaczyna roić sobie rzeczy niemożliwe. Dla większości to tylko skok w bok, wiadomo – nie potrwa długo. To dobry sposób, żeby ożywić życie erotyczne i raz na jakiś czas, w chwili rozkoszy, usłyszeć od kogoś „kocham cię". Nic więcej.

Co bym zrobiła, gdyby mój mąż znalazł sobie kochankę? Załamałabym się, uznałabym, że życie jest okrutne, a ja stara, brzydka i nic nie warta. Pewnie zrobiłabym mu awanturę. Płakałabym z rozpaczy i zazdrości, że on mógł, a mi nie wolno. Potem trzasnęłabym drzwiami i uciekła z dziećmi do rodziców. Po dwóch miesiącach gorączkowo szukałabym wymówki, żeby wrócić do domu. Wmawiałabym sobie, że mój mąż tego chce. Po czterech miesiącach pogodziłabym się z myślą, że trzeba zacząć wszystko od nowa. Po pięciu uznałabym, że musimy się zejść „dla dobra dzieci". Ale byłoby już za późno. On mieszkałby już z kochanką, młodszą, pełną energii, piękną kobietą, która przywróciła mu radość życia.

Dzwoni komórka. Szef pyta, jak czuje się syn. Mówię, że jestem na przystanku i źle słyszę, ale wszystko w porządku, zaraz będę w redakcji.

Wystraszony człowiek nie widzi rzeczywistości. Ucieka w świat iluzji. Nie mogę dłużej tkwić w tym stanie. Muszę wziąć się w garść i wrócić do pracy. To na pewno mi pomoże.

Wstaję z ławki i idę do samochodu. Na chodniku leżą zeschłe liście. W Paryżu pewnie by je sprzątnięto, ale my jesteśmy w znacznie bogatszej Genewie i dlatego liście leżą na ziemi.

Niedawno były częścią drzewa. Dziś drzewo szykuje się do snu. Czy szkoda mu zielonej szaty, która je okrywała, karmiła i pozwalała oddychać? Nie. Czy myślało o owadach, które zapylały jego kwiaty i podtrzymywały cykl życia? Nie. Drzewo myśli o sobie, a kiedy przychodzi pora, pozbywa się wszystkiego, co zbędne – liści i owadów.

Jestem jak ten suchy liść na chodniku. Wydawało mi się, że będę żyć wiecznie, a umarłam, nie wiedząc dlaczego. Liść kochał słońce, księżyc, rósł obok odjeżdżających z przystanku autobusów, hałaśliwych tramwajów. Nikt nie uprzedził go, że nadejdzie zima. Wykorzystał każdą chwilę swojego życia, a kiedy zżółkł, drzewo powiedziało mu „żegnaj".

„Żegnaj", a nie „do widzenia". Ten liść nigdy nie wróci na gałąź. Drzewo poprosiło o pomoc wiatr, który zerwał liście i uniósł je daleko. Drzewo wie, że warunkiem jego odrodzenia jest odpoczynek. A kiedy urośnie, będzie szanowane i zrodzi piękniejsze kwiaty i owoce.

•

Wystarczy. Najlepszą terapią jest praca. Wypłakałam się i wszystko przemyślałam. Mimo to nie czuję ulgi.

Wracam do miejsca, gdzie zaparkowałam. Przy moim samochodzie stoi strażnik miejski w czerwono-niebieskim mundurze i specjalnym urządzeniem skanuje numer z tablicy rejestracyjnej.

– To pani samochód?

Tak.

Strażnik wraca do swoich obowiązków. Milczę. Zeskanowany numer znalazł się już w systemie i trafił do centrali. Potem zostanie przetworzony i na mój adres przyjdzie niebieska koperta z celofanowym okienkiem oraz pieczątką policji. Będę miała trzydzieści dni na zapłacenie mandatu w wysokości 100 franków. Mogę odmówić i wydać 500 franków na adwokata.

– Przekroczyła pani czas o dwadzieścia minut. Tutaj można stać tylko pół godziny.

Skinęłam głową. Widzę, że jest zdziwiony. Nie proszę go, żeby mi darował, nie obiecuję, że to się nie powtórzy, nie biegłam z daleka, żeby go powstrzymać. Nie robię scen, do jakich jest przyzwyczajony.

Skanująca maszyna drukuje mandat, zupełnie jak paragon w supermarkecie. Strażnik wkłada świstek do plastikowej koperty (żeby się nie zabrudził) i podchodzi, żeby go wsunąć pod wycieraczkę przedniej szyby. Naciskam guzik pilota, światła mrugają i drzwi się odblokowują.

Podobnie jak ja strażnik działa automatycznie, ale na dźwięk pilota zawraca, podchodzi do mnie i wręcza mi mandat.

Rozstajemy się w zgodzie. Strażnik jest zadowolony, ponieważ nie musiał wysłuchiwać moich usprawiedliwień. Ja oddycham z ulgą, bo oczekiwałam słów potępienia, a dostałam tylko mandat.

Dziś okaże się, czy mój mąż jest człowiekiem opanowanym, czy po prostu nie przejmuje się tym, co zaszło. Wracam do domu o zwykłej porze. W pracy zajmowałam się banalnymi tematami: szkoleniem pilotów, zbyt dużą liczbą choinek na przedświątecznych targowiskach, montażem elektronicznych pilotów na przejazdach kolejowych. Całe szczęście, że tylko takimi, bo w tym stanie fizycznym i psychicznym nie miałabym siły myśleć o poważnych sprawach.

Przygotowuję kolację, jakby to był normalny wieczór, jeden z setek, które razem przeżyliśmy. Oglądamy telewizję, dzieci idą na górę do swoich tabletów i gier, które – zależnie od dnia – polegają na zabijaniu terrorystów albo żołnierzy.

Wkładam naczynia do zmywarki. Mąż idzie na górę zapędzić dzieci do łóżek. Rozmawialiśmy o codziennych sprawach. Nie wiem, czy to przez mój obecny stan, czy było tak zawsze, ale mam wrażenie, że mąż dziwnie się zachowuje. Zaraz dowiem się, o co chodzi.

Kiedy mąż jest na górze, po raz pierwszy w tym roku zapalam ogień w kominku. Widok płomieni uspokaja mnie. Powiem mu to, czego z pewnością się domyśla. Potrzebuję pokrzepienia, więc otwieram butelkę wina i przynoszę deskę z serami. Wypijam łyk i spoglądam w ogień. Nie czuję zdenerwowania ani strachu. Chcę skończyć z podwójnym życiem. Cokolwiek się zdarzy, będzie lepsze od tego, co było. Jeśli nasze małżeństwo ma się rozpaść, niech to będzie dziś, w ten jesienny wieczór, przed Bożym Narodzeniem, w blasku płomieni, po spokojnej rozmowie dwojga kulturalnych ludzi.

Mąż schodzi, widzi wino i sery, ale o nic nie pyta. Siada obok mnie i patrzy w ogień. Wypija kieliszek wina, ale kiedy chcę mu nalać drugi, gestem ręki daje do zrozumienia, że ma dosyć.

Mówię bez sensu, że dziś temperatura spadła poniżej zera. Mąż kiwa głową.

Muszę przejąć inicjatywę.

Przepraszam za wczorajszą kolację.

– To nie twoja wina. Ta kobieta rzeczywiście jest bardzo dziwna. Nie chcę więcej chodzić z tobą na te przyjęcia.

Jest spokojny, ale nawet dziecko wie, że każdą burzę poprzedza cisza.

Ciągnę temat. Marianne udaje wyzwoloną, a tak naprawdę jest zazdrosna o męża.

– To prawda. Mówi się, że przez zazdrość można stracić wszystko, na czym nam zależało, o co walczyliśmy. Stajemy się ślepi na to, co nas otacza – radosne doświadczenia, chwile szczęścia i wspólnotę, którą razem tworzymy. Jak to się dzieje, że nienawiść potrafi zniszczyć długą historię małżeństwa?

Mąż przygotowuje grunt, żebym mogła wyznać prawdę.

– Raz na jakiś czas każdemu przychodzi do głowy myśl, że jego życie nie potoczyło się zgodnie z planem. Ale gdyby tak nasze życie zapytało nas, jak je potraktowaliśmy, ciekawe, co byśmy odpowiedzieli.

Czy mówi o mnie?

– Nie tylko. Sam zadaję sobie to pytanie. Niczego nie da się osiągnąć bez wysiłku. Dlatego trzeba wierzyć. Żeby mieć wiarę, musimy przełamać bariery i uprzedzenia, a to z kolei wymaga odwagi. Żeby być odważnym, trzeba poskromić strach. Tak to działa. Kiedy wreszcie jesteśmy pogodzeni ze swoim życiem, nie możemy zapomnieć, że ono toczy się nadal i także chce zmienić się na lepsze. Musimy mu pomóc!

Mąż dokłada drewno do ognia, a ja nalewam sobie drugi kieliszek wina. Kiedy zdobędę się na odwagę i wreszcie mu powiem?

Mąż nie daje mi dojść do słowa.

– Trudno jest marzyć, czasem to nawet niebezpieczne. Uruchamiamy wtedy tajemniczą energię, uzmysławiamy sobie prawdziwy sens życia. Marząc, jednocześnie dokonujemy wyboru, jaką cenę gotowi jesteśmy zapłacić.

Teraz! Im dłużej będę zwlekać, tym bardziej będziemy cierpieć.

Wznoszę toast i mówię, że od dawna coś mi leży na sercu. Mąż odpowiada, że przecież rozmawialiśmy o tym w Le Valon, kiedy zwierzyłam mu się ze strachu przed depresją.

Tłumaczę, że chodzi o coś innego.

Mąż nie chce mnie słuchać.

– Pogoń za marzeniem ma swoją cenę. Być może będziemy musieli zmienić nasze zwyczaje, przejść trudne chwile, przeżyć rozczarowanie. Ale nieważne, jak wysoką cenę przyjdzie nam zapłacić. I tak zawsze będzie niższa od tej, jaką zapłaci człowiek, który nigdy nie zaryzykował. Spojrzy kiedyś wstecz i zrozumie, że zmarnował życie.

Mąż nie ułatwia mi zadania. Mówię, że chcę porozmawiać o czymś ważnym, konkretnym, co może okazać się bardzo bolesne.

Mąż śmieje się.

– Jestem szczęśliwy, że udało mi się opanować zazdrość. Wiesz, dlaczego? Bo moim obowiązkiem jest starać się zasłużyć na twoją miłość. Muszę walczyć o nasze małżeństwo, o nasz związek i nie ma to nic wspólnego z dziećmi. Kocham cię i zrobię wszystko, absolutnie wszystko, żeby tylko zatrzymać cię przy sobie. Oczywiście nie mogę zabronić ci odejść, jeśli nadejdzie taki dzień. Moja miłość do ciebie jest silniejsza od wszystkiego. Nigdy nie stanę na drodze twojemu szczęściu.

Mam łzy w oczach. Nie jestem pewna, czy mówi ogólnie o zazdrości, czy daje mi do zrozumienia, że wie.

– Nie boję się samotności – ciągnie. – Boję się żyć złudzeniami, widzieć świat takim, jakim go sobie wyobrażam, a nie takim, jakim jest naprawdę.

Bierze mnie za rękę.

– Twoja obecność to dla mnie błogosławieństwo. Może nie jestem idealnym mężem i za rzadko okazuję uczucia. Wiem, że ci tego brakuje. Boisz się, że nie jesteś dla mnie ważna, czujesz się niepewnie. To nieprawda. Powinniśmy częściej siadać przy kominku i rozmawiać. Jedyne, czego nie chcę, to rozmawiać o zazdrości. Ten temat mnie nie interesuje. Powinniśmy razem gdzieś wyjechać. Spędzimy sylwestra za miastem albo pojedziemy w nieznane.

A co z dziećmi?

– Dziadkowie z radością się nimi zajmą. Kiedy się kogoś kocha, trzeba być przygotowanym na wszystko. Miłość jest jak kalejdoskop. Pamiętasz, bawiliśmy się nim w dzieciństwie. Układ szkiełek ciągle się zmienia i nigdy nie powtarza się ten sam wzór. Kto tego nie zrozumie, dar miłości zmieni w udrękę. Wiesz, kto jest najgorszy? Kobiety, które martwią się tym, co inni powiedzą o ich małżeństwie. Mnie to nie obchodzi. Interesujesz mnie tylko ty.

Kładę głowę na jego ramieniu. Nieważne, co chciałam powiedzieć. On o wszystkim wie i dał sobie z tym radę. Stanął na wysokości zadania. Ja nigdy nie potrafiłabym tak się zachować.

– To proste. O ile nie łamie pani prawa, na rynkach finansowych można zarabiać i tracić pieniądze.

Były magnat zachowuje się jak najbogatszy człowiek świata, chociaż jego fortuna wyparowała w ciągu jednego roku. Wielkie instytucje finansowe odkryły, że sprzedawał ludziom ułudę. Udaję zainteresowanie jego słowami. Sama prosiłam redaktora naczelnego, żebyśmy przestali pisać artykuły o stresie.

Minął tydzień od dnia, kiedy dostałam od Jakuba wiadomość z oskarżeniem, że wszystko zniszczyłam. Tydzień od dnia, kiedy chodziłam zapłakana po ulicy, tydzień od chwil, które przypomni mi niebawem przysłany mandat. Tydzień od rozmowy z mężem.

– Trzeba umieć sprzedawać marzenia. Na tym opiera się sukces każdego człowieka – wiedzieć, jak sprzedać to, w co inni chcą wierzyć.

Mój drogi, mimo całej twojej buty i aury profesjonalizmu, mimo że mieszkasz w luksusowym hotelu, nosisz garnitury doskonale skrojone przez londyńskiego krawca, mimo twojego uśmiechu i umiejętnie ufarbowanych włosów, z rozmyślnie pozostawionymi pasmami siwizny dającymi wrażenie „naturalności", mimo pewności siebie widocznej w twoich ruchach i w sposobie mówienia, pamiętaj, że sztuka sprzedawania marzeń to nie wszystko. Trzeba znaleźć nabywcę. Ta zasada obowiązuje w biznesie, w polityce i w miłości.

Dobrze wiesz, o czym mówię, drogi milionerze bez fortuny. Masz asystentów, dysponujesz wykresami i gotowymi prezentacjami, ale ludzie chcą widzieć wyniki.

Miłość także domaga się rezultatów, nawet jeśli wmawiają nam, że prawdziwe uczucie jest bezinteresowne. Czyżby? Mogę przechadzać się po Jardin Anglais w futrze kupionym przez mojego męża w Rosji. Mogę podziwiać jesienny pejzaż i patrząc w niebo powtarzać sobie: „Kocham i to wystarczy". Naprawdę?

Nie. Kocham, ale chcę czegoś konkretnego w zamian. Chcę, żeby mąż brał mnie za rękę, całował, chcę namiętnego seksu, wspólnych marzeń, szansy na stworzenie szczęśliwej rodziny, chcę wychować dzieci i zestarzeć się u boku ukochanej osoby...

– Każdy krok musi nas zbliżać do określonego celu – tłumaczy napuszony magnat, uśmiechając się z wyższością.

Chyba znów tracę rozum. Wszystko, co słyszę i czytam, odnoszę bezpośrednio do moich osobistych przeżyć. Nawet słowa mojego nudnego rozmówcy. Myślę o sobie dwadzieścia cztery godziny na dobę – kiedy idę ulicą, gotuję obiad albo trwonię czas, słuchając rzeczy, które zamiast mnie bawić, popychają mnie w stronę przepaści.

– Optymizm jest zaraźliwy.

Były magnat nie przestaje mówić. Wierzy, że przekona mnie do swoich racji i opublikuję wywiad. Łudzi się, że dzięki temu wróci do łask. Bardzo lubię przeprowadzać wywiady z takimi ludźmi. Wystarczy im zadać pytanie, a oni odpowiadają na nie przez godzinę. Nie muszę pilnie słuchać każdego słowa, tak jak to było w przypadku Kubańczyka. Nagrany monolog skrócę do sześciuset słów, co odpowiada czterem minutom rozmowy.

Optymizm jest zaraźliwy, powtarza mój rozmówca.

Gdyby tak było, wystarczyłoby podejść do ukochanej osoby z uśmiechem na twarzy i umiejętnie przedstawić swoją listę marzeń. Czy tak to działa? Nie. Zaraźliwy jest tylko strach. Boimy się, że nie znajdziemy swojej połówki na całe życie. Jesteśmy gotowi zrobić wszystko, żeby zagłuszyć ten strach. Wybieramy nieodpowiedniego partnera i przekonujemy siebie, że to ten jedyny, ktoś, kogo sam Bóg postawił na naszej drodze. Mylimy poszukiwanie poczucia bezpieczeństwa z miłością. Wkrótce życie traci gorzki smak i staje się nieco łatwiejsze. Niewygodne uczucia zamykamy w szkatułce i chowamy ją głęboko w szafie naszej pamięci, gdzie pozostaną ukryte na zawsze.

– Mówią, że jestem najlepiej ustosunkowanym człowiekiem w kraju. Znam wielu biznesmenów, polityków, przemysłowców. Kłopoty w moich firmach są przejściowe. Zobaczy pani, niedługo wrócę w wielkim stylu.

Ja też znam wielu ludzi, może nawet tych samych co pan. Tylko że ja nie szykuję się do wielkiego powrotu. Chciałabym tylko w kulturalny sposób zakończyć jedną z moich „znajomości".

Niczego nie da się zakończyć definitywnie, bo zawsze zostają jakieś otwarte drzwi, jakaś niewykorzystana możliwość, szansa powrotu do dawnego stanu. Nie mówię, że mi się to podoba, ale znam osoby, którym ta sytuacja bardzo odpowiada.

Co ja robię? Porównuję rynki finansowe z miłością? Próbuję połączyć świat pieniędzy ze światem uczuć?

Od tygodnia nie mam wiadomości od Jakuba. Od tygodnia, czyli od wieczora przy kominku, kiedy moje relacje z mężem wróciły na dobry tor. Czy uda nam się odbudować nasz związek?

Do wiosny tego roku byłam normalną kobietą, aż któregoś dnia zdałam sobie sprawę, że w jednej chwili mogę wszystko stracić. Zamiast zareagować jak inteligentny człowiek, spanikowałam. Czułam się sparaliżowana, wpadłam w apatię, nie byłam w stanie działać, nie umiałam nic zmienić. Po wielu bezsennych nocach i smutnych dniach zrobiłam dokładnie to, czego najbardziej się obawiałam – zawróciłam i podjęłam wyzwanie.

Nie ja jedna, wielu ludzi ma skłonność do autodestrukcji. Przez przypadek, a może w ramach próby, jakiej poddało mnie życie, spotkałam człowieka, który złapał mnie za włosy – dosłownie i w przenośni – i strząsnął ze mnie kurz, którym się pokryłam. Znów zaczęłam oddychać.

Co za bzdury. Taki rodzaj szczęścia przypomina narkotyczny haj. Prędzej czy później euforia mija, a rozpacz atakuje ze zdwojoną siłą.

Były magnat zaczyna mówić o pieniądzach. Nie pytałam, ale to nie ma znaczenia. Odczuwa silną potrzebę udowadniania światu, że nie jest bankrutem i będzie nadal żył na poziomie, do jakiego przez lata się przyzwyczaił.

Nie wytrzymam z nim minuty dłużej. Dziękuję za rozmowę, wyłączam dyktafon i sięgam po płaszcz.

– Jest pani wolna dziś wieczorem? Napijemy się drinka na pożegnanie? – kusi mój rozmówca.

Nie pierwszy raz słyszę taką propozycję. Często mi się to zdarza. Jestem piękna i inteligentna, mimo że Madame König ma może na ten temat inne zdanie. Zdarzało mi się użyć uroku osobistego, żeby skłonić kogoś do wyznań, jakich nie czyni się przy dziennikarzu. Jednak zawsze lojalnie ostrzegałam, że to opublikuję. Ach, ci mężczyźni! Robią wszystko, co możliwe i niemożliwe, żeby ukryć swoje słabości. Byle podlotek potrafi okręcić ich sobie wokół palca.

Dziękuję za zaproszenie, ale nie mogę go przyjąć, jestem umówiona. Korci mnie, żeby zapytać, jak na nieprzychylne artykuły i wieść o upadku jego imperium zareagowała narzeczona, ale moja gazeta nie jest tym zainteresowana.

Przechodzę przez ulicę i idę do Jardin Anglais, o którym niedawno myślałam. Wstępuję do lodziarni na rogu Rue 31 de Décembre. Lubię tę nazwę, ponieważ przypomina mi, że po starym roku zawsze przychodzi następny, a z nim czas na nowe postanowienia.

Kupuję lody o smaku pistacjowym i czekoladowym. Idę nad brzeg jeziora, żeby popatrzeć na tryskającą w niebo fontannę, symbol Genewy. Przede mną w powietrzu unosi się kurtyna z tysięcy kropel. Podchodzą turyści i robią zdjęcia, które na pewno wyjdą zbyt ciemne. A nie lepiej kupić pocztówkę?

Zwiedziłam wiele zabytków na całym świecie. Widziałam pomniki wielkich ludzi, których imion nikt już nie pamięta, chociaż nadal dumnie prężą się na swoich rumakach. Widziałam posągi kobiet wznoszących zwycięsko ku niebu korony i miecze. Ich imiona nic już nie znaczą i dawno zniknęły z książek. Widziałam posągi samotnych, bezimiennych, uwiecznionych w kamieniu dzieci, których niewinność zagubiła się w ciągu długich dni pozowania w atelier zapomnianego przez historię artysty.

Tak naprawdę to nie pomniki, ale nieoczekiwane wydarzenia nadają miastu koloryt. Kiedy Eiffel skonstruował wieżę na wystawę, nie przyszło mu do głowy, że stanie się ona symbolem Paryża i popularnością przebije Luwr, Łuk Triumfalny i imponujące ogrody. Zwykłe jabłko symbolizuje Nowy Jork, jeden z mostów jest wizytówką San Francisco, a inny – reprodukowany na niezliczonych pocztówkach – Lizbony. Barcelona ma słynną niedokończoną katedrę.

Genewa nie jest wyjątkiem. W miejscu, gdzie stoję, Ren wpływa do Jeziora Lemańskiego. Powstają tu potężne wiry. Wykorzystując siłę wody (jesteśmy w tym mistrzami), zbudowano elektrownię wodną, ale pojawił się problem. Za każdym razem, kiedy robotnicy zamykali zawory i szli do domu, pod wpływem ogromnego ciśnienia turbiny pękały.

Wreszcie pewien inżynier wpadł na pomysł wybudowania sztucznego jeziora, gdzie gromadziłby się nadmiar wody.

Wkrótce budowniczowie rozwiązali problem techniczny turbin i jezioro stało się niepotrzebne. Jednak mieszkańcy miasta zadecydowali w referendum, że zbiornik zostanie. W mieście było już kilka fontann. Zaczęto się zastanawiać nad taką, która byłaby widoczna na tak ogromnym jeziorze.

Powstał pomysł fontanny tryskającej strumieniem wody o zmiennym natężeniu. Zainstalowano wielkie pompy, dzięki którym dziś fontanna z prędkością 200 kilometrów na godzinę wyrzuca w powietrze 500 litrów wody na sekundę. Widać ją nawet z samolotu z wysokości dziesięciu tysięcy metrów. Widziałam to na własne oczy.

Fontanna nie ma nazwy, ale stała się symbolem miasta, w którym nie brakuje pomników władców na koniach, bohaterskich kobiet i samotnych dzieci.

Kiedyś spytałam moją znajomą Denise, naukowca, co myśli o fontannie.

– Nasze ciało składa się prawie wyłącznie z wody.

W płynach znajdują się elektrolity przenoszące informacje. Jedną z takich informacji jest miłość. Może ona wpłynąć na funkcjonowanie całego organizmu. Miłość wciąż się zmienia. Uważam, że symbol Genewy jest najpiękniejszym pomnikiem miłości stworzonym przez człowieka. Wciąż się zmienia.

Biorę komórkę i dzwonię do biura Jakuba. Mogłam zadzwonić do niego bezpośrednio, ale nie chcę. Mówię asystentowi, że jestem w drodze i zaraz u nich będę.

Asystent mnie zna, prosi, żebym poczekała. Mówi, że musi potwierdzić spotkanie i zaraz się odezwie. Po chwili dzwoni i informuje mnie, że szef ma obecnie wszystkie terminy zajęte. Może umówić mnie na początek przyszłego roku. Odmawiam. Muszę natychmiast zobaczyć się z Jakubem. To pilna sprawa. 207

Hasło „pilna sprawa" nie zawsze otwiera drzwi gabinetów, ale w tym wypadku myślę, że mam szansę. Tym razem asystent oddzwania dopiero po dziesięciu minutach i pyta, czy mogę przyjść na początku przyszłego tygodnia. Odpowiadam, że będę za dwadzieścia minut.

Dziękuję za rozmowę i rozłączam się.

Jakub prosi, żebym się ubrała. Jego gabinet jest miejscem publicznym, utrzymywanym z państwowych pieniędzy. Jeśli nas nakryją, może trafić do więzienia. Przyglądam się ścianom wyłożonym boazerią i freskom na suficie. Leżę naga na podniszczonej, skórzanej sofie. Jakub jest coraz bardziej zdenerwowany. Zdążył już założyć garnitur i krawat. Nerwowo spogląda na zegarek. Skończyła się przerwa obiadowa. Jego sekretarz wrócił do biura i dyskretnie zapukał do drzwi gabinetu. Jakub powiedział, że ma spotkanie i asystent odszedł. Od tamtej pory minęły trzy kwadranse. Pewnie trzeba było odwołać kilka spotkań i narad.

Kiedy przyszłam, przywitał się uprzejmie i wskazał mi krzesło przy stole. Nie musiałam odwoływać się do kobiecej intuicji, żeby zauważyć, jak bardzo jest wystraszony. Po co przyszłam? Zbliża się sesja parlamentu, ma napięty grafik i musi zająć się paroma ważnymi sprawami. Nie przeczytałam wiadomości? Pisał, że jego żona podejrzewa nas o romans. Musimy przeczekać, pozwolić, żeby wszystko przycichło. Potem znów zaczniemy się spotykać.

– Wszystkiemu zaprzeczyłem. Udałem, że jestem zaskoczony jej insynuacjami. Powiedziałem, że mnie upokorzyła i obraziła, że mam dosyć jej ciągłych podejrzeń i może spytać o mnie, kogo chce. Sama przecież mówiła, że zazdrość jest oznaką niskiego poczucia wartości. Robiłem, co mogłem, ale ona powiedziała tylko: „Nie bądź głupi. Nie skarżę się, tylko nareszcie zrozumiałam, dlaczego jesteś dla mnie taki miły. Pewnie…".

Nie pozwoliłam mu dokończyć. Wstałam i chwyciłam go za klapy marynarki. Bał się, że go uderzę, ale ja pocałowałam go namiętnie w usta. Nie zareagował. Myślał, że przyszłam zrobić mu awanturę. Zaczęłam całować go w szyję, jednocześnie poluzowując krawat.

Odepchnął mnie. Klepnęłam go w policzek.

– Muszę zamknąć drzwi. Ja też się za tobą stęskniłem.

Przeszedł przez piękny gabinet z dziewiętnastowiecznymi meblami i przekręcił klucz w zamku. Kiedy się odwrócił, byłam już w majtkach.

Zdarłam z niego ubranie. Jakub zaczął ssać moje piersi. Jęknęłam z rozkoszy. Próbował zakryć mi ręką usta, ale odwróciłam głowę i dalej cicho jęczałam.

Nie bój się, własną reputację też narażam na szwank. Przestaliśmy się całować. Uklękłam i zaczęłam go pieścić. Trzymał mnie za głowę, nadając pieszczotom coraz szybszy rytm. Tym razem nie chciałam, żeby skończyło się na seksie oralnym. Odepchnęłam go, położyłam się na skórzanej kanapie i rozchyliłam nogi. Klęknął przede mną i zaczął pieścić językiem moje krocze. Kiedy przyszedł pierwszy orgazm, ugryzłam się w rękę, żeby stłumić okrzyk. Potem nastąpiły kolejne, a ja wciąż miałam zęby wbite w dłoń.

Wyszeptałam jego imię i poprosiłam, żeby we mnie wszedł. Mocno chwycił mnie za ramiona, uniósł wyżej moje nogi i wniknął we mnie głęboko. Poruszał się coraz szybciej, poprosiłam, żeby zwolnił. Pragnęłam kochać się z nim bez końca.

Ściągnął mnie na dywan, kazał odwrócić się, uklęknąć i oprzeć na rękach. Dał mi klapsa i znów we mnie wszedł. Jak w transie poruszałam biodrami. Słysząc jego coraz głośniejsze jęki, zrozumiałam, że nie jest w stanie się powstrzymać i zaraz będzie po wszystkim. Kazałam mu szybko wyjść, odwróciłam się na plecy i znów zaczęliśmy się kochać, tym razem patrząc sobie w oczy. Prosiłam, żeby mówił mi okropne rzeczy. Uwielbialiśmy to robić podczas seksu. Ja też mówiłam mu najohydniejsze świństwa, jakie kobieta może powiedzieć mężczyźnie. Jakub wyszeptał moje imię. Chciał usłyszeć, że go kocham, ale ja nadal obsypywałam go wyzwiskami. Pragnęłam, żeby traktował mnie jak prostytutkę, wykorzystał jak niewolnicę i poniżył. Moim ciałem wstrząsały dreszcze. Rozkosz przychodziła falami. Szczytowałam kilka razy, a mój kochanek powstrzymywał się, przedłużając wspólną rozkosz. Jakub zapomniał, że ktoś za drzwiami może usłyszeć nasze jęki. Patrzyłam mu prosto w oczy i słuchałam, jak przy każdym kolejnym ruchu powtarza moje imię. Przypomniałam sobie, że kochamy się bez prezerwatywy. Odepchnęłam go i kazałam dokończyć dzieła w moich ustach.

Jakub wykonał moje polecenie. Zaczęłam się masturbować. Orgazm mieliśmy równocześnie. Kiedy było po wszystkim, Jakub objął mnie, położył głowę na moim ramieniu i ręką wytarł mi usta. Kilka razy powtórzył, że mnie kocha i za mną tęsknił.

A teraz mówi, że muszę się ubrać. Nie ruszam się z miejsca. Znów zachowuje się jak dobrze wychowany chłopiec, uwielbiany przez wyborców. Widać, że zauważył we mnie zmianę, ale dopiero teraz zaczyna rozumieć, że nie odwiedziłam go tylko dlatego, że jest świetnym kochankiem.

– Czego chcesz?

Chcę to zakończyć, rozstać się, mimo że pęka mi serce i jestem zrozpaczona. Muszę spojrzeć mu w oczy i powiedzieć, że to koniec. Nigdy więcej.

Ostatni tydzień przyniósł mi niewyobrażalne cierpienie. Wszystkie łzy wypłakałam, traciłam zmysły, oczami wyobraźni widziałam, jak wiozą mnie do szpitala przy uczelni, gdzie wykłada żona Jakuba. Czułam, że poniosłam całkowitą klęskę (może poza pracą i byciem matką). Z każdą chwilą byłam bliżej śmierci. Wyobrażałam sobie, jak wyglądałoby moje życie z Jakubem, gdybyśmy się nie rozstali. Doszłam do granicy rozpaczy, czułam, że tonę. I wtedy spojrzałam w górę. Zobaczyłam jedną, jedyną wyciągniętą do mnie dłoń – mojego męża.

Na pewno zaczął coś podejrzewać, ale jego miłość okazała się silniejsza. Próbowałam zdobyć się na szczerość, przyznać do wszystkiego i zrzucić z ramion ogromny ciężar, ale okazało się to niepotrzebne. Zrozumiałam, że niezależnie od tego, co zrobię, mój mąż zawsze będzie obok i będzie mnie wspierał bez względu na wszystko.

Dotarło do mnie, że obwiniam siebie o rzeczy, których on nigdy mi nie wypomni. Powtarzałam sobie: „Nie jestem godna tego człowieka. Mój mąż nie ma pojęcia, kim jestem".

Ale on wie. Dzięki niemu mogę odzyskać godność i szacunek. Skoro mężczyzna, który w dzień po naszym rozstaniu nie miałby najmniejszego problemu ze znalezieniem kochanki, nadal chce ze mną być, to znaczy, że jestem coś warta – jestem dużo warta.

Uwierzyłam, że mogę znów zasypiać obok niego nie czując się brudna, bez poczucia winy, że go zdradziłam. Zrozumiałam, że mnie kocha i jestem godna tej miłości.

Wstaję, zbieram z ziemi swoje rzeczy i idę do prywatnej łazienki Jakuba. Mój kochanek już wie, że po raz ostatni widzi mnie nagą.

Wracam do gabinetu i mówię, że przed nami długie leczenie ran. Domyślam się, że jemu też jest ciężko, ale Marianne pomoże mu zapomnieć o romansie. Przytuli go z miłością i otoczy opieką.

– Może masz rację, ale kiedy zaczęła domyślać się, co zaszło, jeszcze bardziej zamknęła się w sobie. Nigdy nie była zbyt wylewna, ale teraz zachowuje się jak robot. Całkowicie poświęciła się pracy. W ten sposób radzi sobie z problemami.

Poprawiam spódnicę, wkładam buty, po czym wyjmuję z torebki małą paczuszkę i kładę ją na biurku.

– Co to jest?

Kokaina.

– Nie wiedziałem, że ty...

Nie musisz nic wiedzieć. Nie dowiesz się, co chciałam

zrobić, żeby zdobyć mężczyznę, dla którego straciłam głowę. Nadal mnie pociągasz, ale wewnętrzny ogień z dnia na dzień słabnie i wiem, że niebawem zgaśnie. Rozstanie jest bolesne. Czuję ten ból w każdej tkance ciała. Po raz ostatni jesteśmy sam na sam. Może będziemy spotykać się na przyjęciach, koktajlach, podczas kampanii wyborczych i konferencji prasowych, ale już nigdy nie będziemy tak blisko jak dziś. Cudownie było kochać się w twoim gabinecie, zakończyć związek tak, jak go rozpoczęliśmy – w pełnej jedności.

Przyszłam tu wiedząc, że to ostatni raz. Jakub nie miał tej świadomości, ale musi pogodzić się z faktami.

– Co mam z tym zrobić?

Wyrzuć. Wydałam na to pokaźną kwotę, ale trudno. Pomożesz mi uwolnić się od nałogu.

Nie wyjaśniam, co to za nałóg, choć wiem, że ma na imię Jakub König.

Widzę zdziwienie na jego twarzy. Uśmiecham się. Całuję go trzy razy na pożegnanie i wychodzę. Przechodząc przez sekretariat, macham asystentowi. Odwraca wzrok, pochyla się nad papierami i bąka pod nosem niewyraźne „do widzenia".

Idąc schodami, dzwonię do męża i mówię, że chciałabym spędzić sylwestra w domu. Jeśli mamy gdzieś razem wyjechać, zróbmy to po świętach.

– Przejdziemy się przed kolacją?

Kiwam głową, ale nie ruszam się z miejsca. Patrzę przez okno na park przed hotelem i dalej, na przedwcześnie pokryty śniegiem, skąpany w słońcu szczyt Jungfrau.

Ludzki mózg jest fascynujący. Przypominamy sobie zapomniany zapach natychmiast, gdy go poczujemy. Wymazujemy z pamięci czyjś głos, ale rozpoznajemy go z chwilą, gdy ponownie go usłyszymy. To samo jest z uczuciami. Wydaje nam się, że na zawsze je pogrzebaliśmy, ale wystarczy wrócić do znanego miejsca, a już się odradzają.

Cofam się pamięcią do naszego pierwszego pobytu w Interlaken. Wtedy nocowaliśmy w podrzędnym, tanim hoteliku. Chodziliśmy na spacery między dwoma jeziorami i za każdym razem wydawało nam się, że odkrywamy nową ścieżkę. Mąż wziął wtedy udział w szaleńczym maratonie, którego trasa w dużej części prowadzi przez góry. Byłam dumna, że jest taki odważny, wyznacza sobie trudne cele i zmusza swoje ciało do przekraczania barier.

Nie był jedynym szaleńcem. Ludzie zjechali z całego świata, hotele były pełne, bary i restauracje małego, pięciotysięcznego miasteczka tętniły życiem. Nie wiem, jak Interlaken wygląda jesienią, ale teraz, gdy patrzę z okna, wydaje mi się, że jest wyludnione i smutne.

Tym razem mieszkamy w lepszym hotelu. Mamy do dyspozycji piękny apartament. Na stoliku leży powitalny list od dyrektora z życzeniami miłego pobytu i zaproszeniem do skosztowania szampana. Obok stoi pusta butelka – zdążyliśmy już wszystko wypić.

Głos męża sprowadza mnie na ziemię. Przed zmrokiem pójdziemy na spacer do miasteczka.

•

Mąż pyta, czy wszystko w porządku. Kłamię, że tak. Nie chcę psuć mu nastroju. Prawda jest jednak taka, że rany w sercu goją się bardzo wolno. Mąż pokazuje mi ławkę, gdzie kiedyś usiedliśmy, by wypić kawę. Zaczepiła nas wtedy para hipisów obcokrajowców, którzy prosili o pieniądze. Mijamy kościół, słychać dzwony. Mąż całuje mnie w usta. Oddaję pocałunek, udając, że wszystko jest w porządku.

214 Nie trzymamy się za ręce, jest zbyt zimno, żeby chodzić bez rękawiczek. Wstępujemy na stację kolejową. Mąż kupuje pamiątkę, taką samą jak przed laty – zapalniczkę z symbolem miasteczka. Kiedyś palił i biegał w maratonach.

Dziś nie pali, a mimo to coraz trudniej mu złapać oddech, szczególnie gdy szybciej idziemy. Próbuje to ukryć, ale zauważyłam, że kiedy biegaliśmy nad jeziorem w Nyon, bardziej się zmęczył.

Dzwoni moja komórka. Długo szukam jej w torbie. Kiedy wreszcie ją wyjmuję, przestaje dzwonić. Na ekranie wyświetla się imię mojej przyjaciółki, tej od depresji. Dzięki lekom wyszła z tego na prostą i dziś jest szczęśliwa.

– Jeśli chcesz, możemy wrócić.

Pytam, dlaczego. Przeszkadza mu moje towarzystwo? Nie chcę rozmawiać z ludźmi, którzy nie mają nic do roboty i godzinami paplają przez telefon o nieistotnych sprawach.

Widać, że on też jest zły. Może to efekt szampana. Piliśmy go prawie duszkiem. Wystarczyły dwie kolejki, żeby opróżnić butelkę. Jego zdenerwowanie uspokaja mnie. Czuję się coraz pewniej. Idę obok ludzkiej istoty, która ma uczucia.

Mówię, że zimą Interlaken wygląda dziwnie bez maratończyków. Przypomina miasto widmo.

– Nie mają tras narciarskich.

Nic dziwnego. Znajdujemy się w dolinie z dwoma jeziorami, między bardzo stromymi, wysokimi górami.

Zachodzimy do sympatycznie wyglądającego baru. Mąż zamawia jedną, potem drugą szklankę ginu. Proponuję zmienić bar, ale on upiera się, że na chłód najlepszy jest alkohol. Od dawna tak się nie zachowywał.

– Ostatni raz zatrzymaliśmy się tu dziesięć lat temu. Byłem młody, miałem ambicję, lubiłem przestrzeń, nie bałem się przygód. Bardzo się zmieniłem?

Masz dopiero 30 lat. Dlaczego myślisz, że jesteś stary?

Nie odpowiada. Jednym haustem wypija gin i zamyślony patrzy przed siebie. To niesamowite – nie jest już moim perfekcyjnym mężem. Jak ja się cieszę.

Opuszczamy bar i wracamy do hotelu. Po drodze mijamy uroczą restauracyjkę, ale zarezerwowaliśmy już stoliki w innym miejscu. Jest jeszcze wcześnie. Na drzwiach wisi tabliczka z informacją, że kolacja serwowana jest od godziny 19.00.

– Wypijmy jeszcze po szklaneczce ginu.

Kim jest ten mężczyzna u mojego boku? Przyjazd do Interlaken odświeżył dawne wspomnienia. Otworzyła się szkatułka strachu.

Milczę. Ja też zaczynam się bać.

Pytam, czy odwołać rezerwację we włoskiej restauracji. Możemy zjeść tutaj.

– Wszystko mi jedno.

Wszystko jedno? Czy czuje to samo co ja, gdy cierpiałam i myślałam, że mam w depresję?

Mnie nie jest „wszystko jedno". Chcę iść do

restauracji, gdzie zarezerwowaliśmy stolik i gdzie kiedyś obiecaliśmy sobie dozgonną miłość.

– Ten wyjazd to był zły pomysł. Wróćmy jutro do domu. Chciałem dobrze. Chciałem wrócić do początków naszej miłości, ale to niemożliwe. Jesteśmy dojrzałymi ludźmi, żyjemy pod presją, jakiej dawniej nie odczuwaliśmy. Musimy zarabiać na życie, płacić za szkołę, jedzenie, ubezpieczenie. W weekendy szukamy rozrywki, bo tak robią wszyscy. A kiedy nie chce nam się wychodzić z domu, od razu podejrzewamy, że coś jest z nami nie tak.

Ja nigdy nie mam ochoty wychodzić z domu. Wolę siedzieć i nudzić się.

– Ja też. Ale mamy dzieci. One lubią ruch. Nie możemy pozwolić, żeby siedziały cały czas przy komputerze. Są na to za małe. Dlatego jeździmy na wycieczki. Robimy to samo, co nasi rodzice, dziadkowie. Prowadzimy normalne życie, jesteśmy kochającą się rodziną. Jeśli jedno z nas potrzebuje wsparcia, drugie zrobi wszystko, żeby pomóc.

Na przykład będzie gotowe na sentymentalną podróż do czasów młodości?

Następna szklanka ginu. Po dłuższej chwili milczenia mąż odpowiada:

– Tak, ale wspomnienia nie mogą wypełnić teraźniejszości. Wręcz przeciwnie, sprawiają, że zaczynam się dusić. Dziś jestem innym człowiekiem. Wszystko było dobrze, dopóki nie przyjechaliśmy tutaj i nie wypiliśmy szampana. Nagle zdałem sobie sprawę, że moje życie nie potoczyło się tak, jak marzyłem. Kiedy byłem tu po raz pierwszy, miałem plany.

O czym marzyłeś?

– O głupstwach, ale były to moje marzenia. Mogłem je spełnić.

Co to było?

– Chciałem wszystko sprzedać, kupić łódź i opłynąć świat dookoła. Ojciec byłby wściekły, że nie idę w jego ślady, ale wtedy to nie miało znaczenia. Marzyłem, że będę zawijać do portów, dorywczo pracować i zarabiać na dalszą podróż. Chciałem spotykać ludzi, których nie poznałbym, siedząc w domu, odkrywać miejsca, o których nie piszą w przewodnikach. Moim jedynym marzeniem była przygoda. Przy-go-da!

Zamawia następną szklankę ginu i wypija ją jednym haustem. Nie widziałam go nigdy w takim stanie. Nie mogę już pić, jest mi niedobrze. Do tej pory nic nie jedliśmy. Chcę powiedzieć, że byłabym najszczęśliwszą kobietą na świecie, gdyby wtedy zrealizował swoje marzenia. Lepiej jednak milczeć, bo poczułby się jeszcze gorzej.

– Potem urodził się nasz syn.

Co z tego? Miliony małżeństw realizują marzenia podróżując z dziećmi.

Zastanawia się nad moimi słowami.

– Może nie miliony, ale tysiące.

W jego głosie nie słychać już agresji, jedynie smutek.

– Są w życiu chwile, kiedy zatrzymujemy się, żeby przeanalizować przeszłość i to, co jest teraz. Zastanawiamy się, czego nauczyliśmy się, gdzie zbłądziliśmy. Zawsze bałem się tych rachunków sumienia. Okłamuję siebie. Wmawiam sobie, że dokonałem doskonałych wyborów, chociaż wymagały one poświęcenia i że taka jest kolej rzeczy.

Proponuję, żebyśmy się przeszli. Mąż ma dziwny wzrok. Patrzy gdzieś przed siebie.

Nagle uderza pięścią w blat baru. Kelnerka spogląda na nas wystraszona. Mąż chce zamówić następną kolejkę, ale kobieta odmawia. Musi zamknąć bar, zbliża się pora kolacji. Przynosi rachunek.

Czekam na reakcję męża, ale on bez słowa wyciąga portfel i kładzie na ladzie banknot. Bierze mnie za rękę i wychodzimy.

– Boję się, że kiedy zacznę wyobrażać sobie, jak mogło wyglądać moje życie, wpadnę w czarną dziurę.

Znam to uczucie. Mówiłam mu o tym, kiedy po raz pierwszy w restauracji otworzyłam się przed nim.

Nie słucha mnie.

– W głębi duszy słyszę głos, który mówi, że to nie ma sensu. Świat istniał miliardy lat temu i będzie istniał po mojej śmierci. Jestem malutką cząsteczką wielkiej tajemnicy. Nadal nie potrafię odpowiedzieć sobie na pytania z dzieciństwa. Na przykład ciągle nie wiem, czy istnieje życie na innych planetach. Albo dlaczego Bóg godzi się na nasze cierpienie, skoro jest taki dobry? Najgorsze jest przemijanie. Czasem, bez żadnej przyczyny, ogarnia mnie strach. Łapie mnie za gardło, kiedy jestem w pracy, prowadzę samochód, kładę dzieci spać. Patrzę na nie z miłością i strachem. Zastanawiam się, co z nimi będzie. Żyjemy w bezpiecznym, spokojnym kraju, ale nie wiemy, co przyniesie przyszłość.

Rozumiem go. Wielu ludzi ma podobne obawy.

– Patrzę, jak szykujesz śniadanie albo kolację i myślę sobie, że za pięćdziesiąt lat, a może wcześniej, jedno z nas będzie samotnie leżało w łóżku i opłakiwało czasy, kiedy byliśmy szczęśliwi. Dzieci skończą studia, wyjadą daleko. Ty albo ja – zależnie, które z nas przeżyje – będzie zmagać się z chorobami i liczyć na pomoc obcych ludzi.

Milknie, idziemy w ciszy. Przechodzimy obok plakatu informującego o zabawie sylwestrowej. Mąż z całej siły kopie w słup. Kilkoro przechodniów ogląda się za nami.

– Przepraszam, nie chciałem tego mówić. Przywiozłem cię tutaj, żeby poprawić ci nastrój, żebyśmy zapomnieli o stresie. To przez ten alkohol.

Jestem w szoku.

Przechodzimy obok grupki młodych ludzi, którzy stoją obok porozrzucanych na chodniku puszek po piwie. Mój mąż, zazwyczaj nieśmiały, podchodzi do nich i proponuje, żebyśmy się razem napili.

Patrzą na niego zaskoczeni. Przepraszam ich,

tłumaczę, że za dużo wypiliśmy i jeszcze jedna kropla alkoholu, a zdarzy się nieszczęście. Biorę go pod ramię i idziemy dalej.

Dawno tego nie robiłam. Zawsze on mnie wspierał, pomagał, rozwiązywał problemy. Dzisiaj to ja trzymam go za ramię, żeby się nie potknął. Z rozpaczy przechodzi w stan euforii i zaczyna śpiewać jakąś nieznaną piosenkę.

Kiedy mijamy kościół, znów odzywają się dzwony.

– Kiedy słyszę dzwony, wydaje mi się, że przemawia do nas Bóg. Ale czy On nas słucha? Ledwo przekroczyliśmy trzydziestkę, a już straciliśmy radość życia. Gdyby nie dzieci, jaki byłby sens tego wszystkiego?

Chcę coś powiedzieć, ale nie znajduję słów. Docieramy do restauracji, gdzie kiedyś przysięgaliśmy sobie miłość. W blasku świec przygnębieni jemy kolację. Jesteśmy w jednej z najpiękniejszych i najdroższych miejscowości w Szwajcarii.

Otwieram oczy, na dworze jest już jasno. Spałam jak kamień, nic mi się nie śniło. Nie obudziłam się w środku nocy. Patrzę na zegarek. Jest dziewiąta rano.

Mąż jeszcze śpi. Idę do łazienki, myję zęby, zamawiam śniadanie do pokoju. Wkładam koszulę nocną i podchodzę do okna. Czekam na kelnera.

Dopiero po chwili dostrzegam, że na niebie jest pełno paralotni. Lądują w parku przed hotelem. Wygląda to na zlot początkujących lotniarzy, ponieważ prawie z każdym leci instruktor pilotujący maszynę.

Jak można decydować się na takie szaleństwo? Czy w obecnych czasach jedynym sposobem na nudę jest ryzykowanie własnego życia?

Następna paralotnia ląduje w parku. I jeszcze jedna. Roześmiani przyjaciele śmiałków wszystko filmują. Wyobrażam sobie, jaki musi być widok z góry. Otacza nas łańcuch stromych szczytów.

Zazdroszczę tym ludziom, ale sama nie miałabym odwagi.

Ktoś puka do drzwi. Wchodzi kelner. Na srebrnej tacy stoi wazonik z różą. Jest też kawa (dla mojego męża), herbata (dla mnie), croissanty, ciepłe tosty, ciemne pieczywo, dżemy w różnych smakach, jajka, sok z pomarańczy i lokalna gazeta, czyli wszystko, czego potrzeba nam do szczęścia.

Budzę męża pocałunkiem. Nie pamiętam, kiedy to ostatnio robiłam. Otwiera oczy wystraszony, ale po chwili uśmiecha się. Zasiadamy do stołu i celebrujemy śniadanie. Rozmawiamy o naszym wczorajszym pijaństwie.

– Potrzebowałem tego. Wygadywałem głupstwa, ale nie przejmuj się. Kiedy pęka balon, jest wielki huk, a potem zostaje tylko strzępek gumy.

Mam ochotę powiedzieć, że cieszę się, bo wreszcie odkryłam, że mój mąż ma jakieś słabości. Powstrzymuję się jednak, uśmiecham i jem croissanta.

Mąż też zauważył paralotniarzy. Ubieramy się i schodzimy na dół. Podchodzimy do recepcji. Mąż mówi, że wyjeżdżamy, płaci i prosi, żeby zniesiono nasze walizki.

Na pewno? Nie możemy zostać do jutra?

– Na pewno. Wczorajszy wieczór pokazał, że nie można cofnąć czasu.

Idąc do wyjścia, przechodzimy przez długi hol z przeszklonym sufitem. Z hotelowej broszurki wyczytałam, że kiedyś biegła tędy ulica. Połączono dwa, stojące naprzeciw siebie budynki. Widocznie mają tu dużo turystów, którym nie przeszkadza brak tras narciarskich.

Zamiast wyjść z hotelu, mąż niespodziewanie skręca w lewo i podchodzi do informacji.

– Czy można polatać na paralotni?

Ja nie mam zamiaru.

Młody człowiek podaje mu ulotkę z informacjami.

– Jak można dostać się na górę?

– Lepiej samemu nie jechać na szczyt, droga jest dość trudna. Wystarczy zamówić transport na konkretną godzinę.

Czy to bezpieczne? Taki skok z wysoka, pomiędzy dwoma masywami górskimi? Nigdy wcześniej tego nie robiliśmy? Kto za to odpowiada? Czy państwowa inspekcja sprawdza instruktorów i sprzęt?

– Proszę pani, pracuję tu dziesięć lat. Latam przynajmniej raz, dwa razy do roku. Ani razu nie widziałem wypadku.

Mówi z uśmiechem, pewnie powtarzał to tysiące razy.

– Jedziemy?

Co? Dlaczego nie pojedzie sam?

– Dobrze, pojadę sam, a ty zaczekasz na dole i zrobisz zdjęcia. Muszę spróbować. Zawsze mnie to przerażało. Wczoraj rozmawialiśmy o kluczowych chwilach w życiu, kiedy stoimy na rozdrożu i boimy się zaryzykować. To był dla mnie bardzo smutny wieczór.

Wiem. Mąż prosi mężczyznę o zarezerwowanie godziny.

– Chce pan lecieć teraz czy o zachodzie słońca, kiedy widać pięknie oświetlone, ośnieżone góry?

Teraz, mówię.

– Jedna osoba czy dwie?

Jeśli teraz, to dwie. Nie będę miała czasu zastanowić się nad tym, co robię. Nie zdążę otworzyć szkatułki z demonami. Nie obleci mnie strach przed wysokością, nieznanym, śmiercią, życiem, zapomnę o ograniczeniach. Teraz albo nigdy.

– Lot może trwać dwadzieścia minut, pół godziny, godzinę.

Nie ma lotów dziesięciominutowych?

Nie.

– Chcą państwo skakać z wysokości 1350 czy 1800 metrów?

Zaczynam się wahać. Niepotrzebnie podaje mi te informacje. Chcę skoczyć z jak najniższej wysokości.

– Kochanie, to nie ma sensu. Jestem pewien, że nic się nie stanie, a jeśli miałoby się coś stać, to wysokość nie ma znaczenia. Upadek z 21 metrów, czyli z wysokości siódmego piętra, jest równie niebezpieczny.

Mężczyzna śmieje się. Ja też, żeby ukryć strach. Jak mogłam być tak głupia i myśleć, że 500 metrów coś zmieni.

Mężczyzna dzwoni i przez chwilę rozmawia przez telefon.

– Mamy jedynie wolne miejsca na loty z wysokości 1350 metrów.

Nie rozumiem dlaczego, ale czuję ulgę. Świetnie!

Za dziesięć minut podjedzie samochód.

Wraz z mężem i pięcioma innymi osobami stajemy nad przepaścią. Czekam na swoją kolej. Kiedy jechaliśmy na szczyt, zaczęłam zastanawiać się, co stanie się z dziećmi, kiedy stracą oboje rodziców... Zrozumiałam, że nie możemy skoczyć razem.

Wkładamy kombinezony, dają nam kaski. Po co kask? Żeby spadając z tysiąca metrów nie rozbić sobie głowy o skałę?

– Kask jest obowiązkowy.

Świetnie. Nakładam kask podobny do tych, których używają rowerzyści jeżdżący ulicami Genewy. Uważam, że to głupie, ale nie będę się kłócić.

Patrzę przed siebie. Od przepaści dzieli nas łagodny, pokryty śniegiem fragment zbocza. Mogę się jeszcze rozmyślić i wycofać. Nikt nie zmusza mnie do skakania.

Nigdy nie bałam się latać. Często podróżowałam samolotem. Sęk w tym, że w samolocie, czujemy się inaczej niż podczas skoku na paralotni. Wydaje nam się, że metalowy pancerz maszyny gwarantuje nam większe bezpieczeństwo. A przecież nie ma różnicy.

Nie ma? W każdym razie dla osoby, która wie tyle o aerodynamice, co ja.

Muszę jakoś przekonać się do tego skoku. Potrzebuję lepszych argumentów.

Mam. Samolot jest z metalu, a więc jest bardzo ciężki.

Na pokładzie są walizki, ludzie, różne urządzenia, tony paliwa, które może spowodować wybuch. Paralotnia jest lekka, szybuje z wiatrem, zgodnie z prawami natury, jak liść spadający z drzewa. To ma sens.

– Chcesz lecieć pierwsza?

Tak. Jeśli coś mi się stanie, ty zajmiesz się dziećmi. Pewnie do końca życia będziesz czuł się winny, że wpadłeś na ten szalony pomysł. Będziesz mnie wspominał jako towarzyszkę życia, która w chwilach smutku i radości, na co dzień i od święta zawsze była przy tobie.

– Jesteśmy gotowi.

Czy pan jest instruktorem? Nie jest pan za młody? Wolałabym lecieć z pańskim przełożonym. W końcu to mój pierwszy raz.

– Skaczę od szesnastego roku życia. Od pięciu lat jeżdżę po całym świecie. Proszę się nie obawiać.

Jego spokojny głos wyprowadza mnie z równowagi. Należy szanować starszych i mieć więcej zrozumienia dla ich obaw. Poza tym, powinien powiedzieć to przy świadkach.

– Proszę postępować zgodnie z instrukcjami. Kiedy zaczniemy biec, nie może się pani zatrzymywać. Resztą ja się zajmę.

Instrukcje. Nie znam ich. Powiedzieli tylko, że nie wolno się zatrzymywać, bo to jedyny niebezpieczny moment. A kiedy wylądujemy, mam biec, dopóki nie poczuję, że mocno stąpam po ziemi.

Marzę, żeby już stanąć na trawie. Podchodzę do męża i proszę, żeby skakał jako ostatni. Będzie mógł sprawdzić, czy bezpiecznie wylądowałam.

– Chce pani wziąć aparat fotograficzny? – pyta instruktor.

Aparat można umocować na aluminiowym, półmetrowym drążku. Nie, nie chcę. Po pierwsze, nie robię tego po to, żeby się potem chwalić. Po drugie, jeśli zdołam opanować strach, zamiast podziwiać widoki, będę myśleć o robieniu zdjęć. Kiedy byłam mała, ojciec nauczył mnie ważnej rzeczy. Szliśmy wtedy na Matterhorn. Co chwilę przystawałam i robiłam zdjęcia. Wreszcie ojciec zdenerwował się i powiedział: „Wydaje ci się, że uchwycisz aparatem ogrom gór i ich piękno? Patrz sercem. To ważniejsze od pokazywania ludziom, co przeżyłaś".

Mój dwudziestojednoletni instruktor słucha mnie z wyższością, mocując na mnie uprzęże z metalowymi klamrami. Paralotnia wyposażona jest w siedziska. Ja siadam z przodu, on z tyłu. Mogę się jeszcze wycofać, ale nie jestem już sobą. Nic nie czuję.

Ustawiamy się. Dwudziestojednoletni weteran wymienia z kolegami uwagi na temat siły wiatru.

Chłopak stoi za mną, czuję na szyi jego oddech. Oglądam się i nie podoba mi się to, co widzę. Na śniegu leżą rzędem kolorowe płachty paralotni, do których przywiązani są ludzie. Na końcu stoi mój mąż w kasku rowerzysty. Pewnie nie ma wyjścia i będzie musiał skakać dwie, trzy minuty po mnie.

– Jesteśmy gotowi. Zaczynamy biec.

Nie ruszam się z miejsca.

– Biegniemy!

Mówię, że nie chcę zbyt długo krążyć w powietrzu. Proszę, żebyśmy powoli schodzili w dół. Pięć minut lotu wystarczy.

– Powie mi to pani, kiedy uniesiemy się w powietrze. Za nami jest kolejka. Musimy skakać.

Nie mam siły się kłócić. Wykonuję polecenie i zaczynam biec w kierunku przepaści.

– Szybciej!

Przyspieszam. Spod butów na boki rozbryzguje się śnieg. To nie ja biegnę, to jakiś robot, który posłusznie wykonuje polecenia. Zaczynam krzyczeć, nie wiem czy ze strachu, czy z radości. Krzyczę instynktownie. Jestem pierwotną kobietą, o której wspominał Kubańczyk. Ludzie nadal boją się tych samych rzeczy – pająków i owadów. I krzyczą tak jak ja teraz.

Nagle moje nogi odrywają się od ziemi. Z całej siły zaciskam ręce na linach przy siedzisku i przestaję wrzeszczeć. Instruktor biegnie jeszcze przez kilka sekund i po chwili lecimy przed siebie.

Nasze życie jest w rękach wiatru.

•

Przez minutę nie otwieram oczu. Nie wiem, jak wysoko lecimy, nie widzę gór, nie czuję zagrożenia. Próbuję wyobrazić sobie, że jestem w domu, w kuchni, i opowiadam dzieciom o naszym wyjeździe. Mówię im o miasteczku, o apartamencie hotelowym. Pomijam milczeniem fakt, że tatuś za dużo wypił i w drodze do hotelu niemal przewrócił się na chodniku. Nie powiem im, że postanowiłam skoczyć na paralotni. Zaraz będą chciały zrobić to samo albo gorzej – zechcą polatać same i skoczą z pierwszego piętra naszego domu.

Zdaję sobie sprawę, że zachowuję się idiotycznie. Dlaczego mam wciąż zamknięte oczy? Nikt nie kazał mi skakać. „Pracuję tu od lat i nigdy nie widziałem żadnego wypadku", powiedział człowiek z informacji.

Otwieram oczy.

Tego, co widzę i czuję, nie da się opisać. W dole rozciąga się dolina łącząca dwa jeziora. Pośrodku widać miasteczko. Unoszę się w powietrzu, wolna, w całkowitej ciszy. Korzystając z siły wiatru, łagodnie zataczamy kręgi. Góry nie wydają się już potężne ani groźne. Są przyjazne i pięknie wyglądają pokryte śniegiem. Szczyty lśnią w blasku słońca.

Przestaję kurczowo trzymać się lin. Puszczam je i wyciągam ramiona jak ptak. Siedzący za mną chłopak dostrzega moją przemianę, bo zamiast schodzić, zaczynamy się unosić, wykorzystując niewidoczne prądy w pozornie bezwietrznej przestrzeni.

Przed nami leci orzeł. Przemierza ten sam bezkres powietrznego oceanu, bez wysiłku poruszając skrzydłami nadaje kierunek swojej tajemniczej, podniebnej podróży. Dokąd leci? Może po prostu odpoczywa, korzysta z uroków życia i podziwia piękno otaczającej go przyrody?

Mam wrażenie, że łączy mnie z orłem telepatyczna więź. Instruktor kieruje paralotnię w jego stronę. Teraz ptak jest naszym przewodnikiem. Pokazuje nam, którędy lecieć, żeby wznieść się jeszcze wyżej, do nieba i zostać tam na zawsze. Czuję się jak w Nyon, kiedy wyobrażałam sobie, że będę biec do utraty tchu.

Orzeł mówi: „Leć za mną! Jesteś niebem i ziemią, wiatrem i chmurami, śniegiem i jeziorami".

Czuję się, jakbym znalazła się znów w łonie matki, bezpieczna i pod ochroną. Wszystko jest dla mnie nowe. Niebawem narodzę się po raz drugi, przybiorę ludzką postać i dotknę stopami ziemi. Na razie jednak bez wysiłku poruszam się w łonie, nie stawiam oporu i daję się ponieść.

Jestem wolna.

Tak, jestem wolna. Orzeł ma rację; jestem górami i jeziorami. Zniknęły przeszłość, teraźniejszość i przyszłość. Doświadczam tego, co ludzie nazywają „wiecznością".

Przez ułamek sekundy zastanawiam się, czy wszyscy skaczący na paralotni ludzie mają podobne odczucia. Ale czy to ma znaczenie? Nie chcę myśleć o innych. Unoszę się w wieczności. Przyroda rozmawia ze mną, jakbym była jej ukochaną córką. Góra mówi, że mam jej siłę, jeziora, że mam ich spokój, a słońce prosi, żebym zaświeciła jego blaskiem, opuściła swoje ciało i udała się w nieznane. Posłuchaj.

Wsłuchuję się w wewnętrzne głosy, które tak długo tłumiłam i zamiast pozwolić im przemówić, skazywałam się na samotność, nocne koszmary, strach przed zmianą, a jednocześnie przerażenie, że wszystko zostanie jak dawniej. Im jestem wyżej, tym bardziej oddalam się od siebie.

Znajduję się w innym świecie, gdzie wszystko do siebie pasuje. Z dala od codziennych spraw, niemożliwych do spełnienia marzeń, z dala od cierpienia i rozkoszy. Nie mam nic, więc jestem wszystkim.

Orzeł kieruje się ku dolinie. Unoszę wyżej ramiona i naśladuję ruch jego skrzydeł. Gdyby ktoś mnie w tej chwili zobaczył, nie wiedziałby, kim jestem. Bo jestem światłem, przestrzenią i czasem. Jestem w innym świecie.

Orzeł mówi: tak wygląda wieczność.

W wieczności przestajemy istnieć. Stajemy się narzędziem w Dłoni, która stworzyła góry, śnieg, jeziora i słońce. Cofam się w czasie i przestrzeni do chwili, gdy powstawał świat, a gwiazdy pędziły w przeciwnych kierunkach. Chcę służyć Dłoni.

Przechodzą mi przez głowę różne myśli, ale uczucia pozostają te same. Mój umysł opuścił ciało i stopił się z przyrodą. Jaka szkoda, że niedługo orzeł i nasza paralotnia znajdą się na trawniku przed hotelem. Ale nie ma co wybiegać w przyszłość. Na razie jestem tu, w matczynym łonie stworzonym z niczego i ze wszystkiego.

W moim sercu mieści się wszechświat. Żeby zapamiętać tę chwilę, próbuję ubrać w słowa to, co teraz czuję, ale myśli znikają i pochłania mnie wielka pustka.

Moje serce!

Dawniej wydawało mi się, że wszechświat jest ogromny, a teraz mam wrażenie, że stał się malutkim punktem w moim sercu, które wypełniło całą nieograniczoną przestrzeń. Narzędzie. Dar. Umysł próbuje odzyskać kontrolę i wyjaśnić choćby część tego, co czuję, ale moc jest silniejsza.

Moc. Doznanie Wieczności daje mi dziwne poczucie siły. Wszystko mogę, nawet wyzwolić świat od cierpień. Unoszę się w przestworzach i rozmawiam z aniołami. Słucham głosów i prawd, o których za chwilę zapomnę, chociaż teraz są realne jak orzeł przede mną. Nigdy nie zdołam zrozumieć, co teraz przeżywam, ale czy to ma jakieś znaczenie? Zastanawiam się nad przyszłością, chociaż wciąż unoszę się w teraźniejszości.

Przestaję myśleć i bardzo się z tego cieszę. Podziwiam i uwielbiam moje przeogromne serce pełne światła i mocy, która może położyć kres wszystkiemu, co było i co jeszcze wydarzy się na tym świecie.

Do moich uszu dobiega jakiś dźwięk – szczekanie psa.

Podchodzimy do lądowania i powraca rzeczywistość. Za chwilę dotknę stopą Ziemi, ale wszechpotężnym sercem doświadczyłam życia na wszystkich planetach i poznałam wszystkie słońca.

Chcę pozostać w tym stanie, ale budzi się rozum. Po prawej stronie dostrzegam nasz hotel. Jeziora zniknęły za wierzchołkami drzew i wzniesieniami.

Boże, nie mogę zostać tu na zawsze?

Nie możesz, odpowiada orzeł. Leciał z nami do momentu, gdy zaczęliśmy schodzić do lądowania w parku przed hotelem. Żegna się, po czym bez wysiłku, nie poruszając skrzydłami, unosi się z prądem ciepłego powietrza, sterując lotkami.

Co dalej? Chcę rozmawiać z orłem, ale teraz zaprzęgam w to mój rozum, szukając argumentów. Jak mogę wrócić do normalnego życia po tym, jak doświadczyłam Wieczności?

Spróbuj, dobiega głos orła. Po chwili już go nie widzę, na zawsze znika z mojego życia.

Instruktor szepcze mi coś do ucha. Przypomina, że za chwilę dotkniemy ziemi. Każe mi biec.

Widzę przed sobą trawnik. Chwila, o której marzyłam, stała się końcem czegoś wielkiego.

Czego?

Dotykam stopami ziemi. Biegnę. Instruktor kieruje paralotnią. Po lądowaniu odpina uprzęże. Patrzy na mnie, ale ja zadzieram głowę ku niebu, gdzie krążą kolorowe paralotnie.

Zdaję sobie sprawę, że płaczę.

– Wszystko w porządku?

Kiwam głową. Nie wiem, czy rozumie, co przed chwilą przeżyłam.

Rozumie. Mówi, że raz na rok zdarza mu się lecieć z kimś, kto reaguje podobnie.

– Kiedy pytam, co się stało, ludzie nie potrafią odpowiedzieć. Inni instruktorzy też znają takie przypadki. To rodzaj transu, z którego człowiek otrząsa się dopiero po wylądowaniu.

Ze mną jest odwrotnie, ale nie mam ochoty z nim dyskutować.

Dziękuję za „wsparcie". Chcę coś powiedzieć – że chciałabym w nieskończoność przeżywać to, co się wydarzyło, chociaż wiem, że to niemożliwe. Zresztą nie muszę niczego tłumaczyć. Odchodzę, siadam na ławce i czekam na męża.

Płaczę. Mąż ląduje i podchodzi do mnie z szerokim uśmiechem na twarzy. Mówi, że było wspaniale. Ja wciąż płaczę. Obejmuje mnie i pociesza, że już po wszystkim. Dodaje, że nie powinnam była się zmuszać i robić czegoś, na co nie miałam ochoty.

Wcale nie o to chodzi. Zostaw mnie samą, proszę. Zaraz się uspokoję.

Podchodzi do nas jeden z instruktorów. Zabiera buty i kombinezony, oddaje nasze kurtki. Machinalnie wykonywane kolejne ruchy nieodwracalnie sprowadzają mnie do rzeczywistości, w której nie chciałam się znaleźć.

Nie mam wyboru. Jedyne, co mogę zrobić, to poprosić męża, żeby na chwilę zostawił mnie samą. Pyta, czy nie wejdę z nim do hotelu, bo jest zimno. Nie, zostanę tutaj.

Siedzę na ławce jeszcze pół godziny i płaczę. Łzy wdzięczności oczyszczają moją duszę. W końcu zdaję sobie sprawę, że pora wrócić do rzeczywistości.

Wstaję i idę do hotelu. Wsiadamy do samochodu i wracamy do Genewy. Mąż prowadzi. Gra radio, więc nie musimy rozmawiać. Zaczynam odczuwać silny ból głowy. Wiem, dlaczego. Krew dociera do tych części ciała, do których z powodu stresu nie mogła dopłynąć. Wyzwoleniu zawsze towarzyszy ból.

Mąż nie musi tłumaczyć się z tego, co powiedział wczoraj, ja nie muszę opowiadać, co dziś przeżyłam. Świat jest idealny.

Do nowego roku została godzina. Prefektura postanowiła zaoszczędzić i nie urządza w Genewie tradycyjnej imprezy sylwestrowej. Mamy mniej sztucznych ogni. Tak jest lepiej. Od dziecka oglądam pokazy fajerwerków i przestały robić na mnie wrażenie.

Nie tęsknię za minionymi 365 dniami. Wiało, grzmiało, o mały włos, a wzburzone morze wywróciłoby moją łódkę. Na szczęście przepłynęłam i dobiłam do brzegu.

Brzeg? Nie, żaden związek nie powinien dobijać do brzegu. Brak wyzwań niszczy uczucie, pozbawia nas smaku nowości. Musimy się starać zawsze być dla siebie zagadką.

Wspólne życie zaczyna się od hucznego przyjęcia. Zjeżdżają się przyjaciele, urzędnik stanu cywilnego wypowiada formułę, którą setki razy powtarza nowożeńcom – że dom trzeba budować na skale, a nie na piasku. Goście sypią ryżem. Panna młoda rzuca bukiet. Niezamężne koleżanki patrzą na nią z zazdrością, a mężatki wiedzą, że zaczyna długą podróż, która w niczym nie przypomina bajki.

Do naszego życia wkracza codzienność, chociaż jej nie chcemy. Pragniemy, żeby nasi partnerzy pozostali dokładnie tacy, jakimi byli w chwili, gdy przed ołtarzem wymienialiśmy obrączki. Chcemy zatrzymać czas.

Ale to niemożliwe. Nie możemy tego zrobić. Wiedza i doświadczenie nie zmienią człowieka. Czas też go nie zmieni. Jedyne, co może go zmienić, to miłość. Kiedy byłam w powietrzu, zrozumiałam, że moja miłość do życia, do wszechświata jest silniejsza od wszystkiego.

Przypomina mi się kazanie, jakie w XIX wieku wygłosił pewien młody, nieznany pastor. Nawiązuje w nim do listu świętego Pawła do Koryntian. Mówi o różnych obliczach miłości, które poznajemy w ciągu życia. Uważa, że wiele współczesnych tekstów opisujących życie duchowe człowieka odnosi się tylko do jednej jego strony.

Mówią o Pokoju, ale nie wspominają o Życiu.

Rozważają sprawy Wiary, zapominając o Miłości. Opowiadają o Sprawiedliwości, a pomijają Objawienie. Takiego objawienia doznałam, kiedy skoczyłam w przepaść nad Interlaken. Wydobyłam się z czarnej dziury, którą sama wydrążyłam w swoim sercu.

Teraz wiem, że jedynie Prawdziwa Miłość może wygrać z miłostkami, które zdarzają się w życiu. Kiedy oddajemy wszystko, nie mamy nic do stracenia. Znika strach, zazdrość, nuda, rutyna. Zostaje rozświetlona przestrzeń, która nie onieśmiela, ale zbliża do drugiego człowieka. Światło wciąż się zmienia, co czyni je jeszcze piękniejszym i jeszcze bardziej nieprzewidywalnym. Nie zawsze jesteśmy przygotowani na niespodzianki, ale uczymy się je przyjmować.

Kochać w pełni znaczy żyć pełnią.

Kochać na zawsze to żyć wiecznie. Życie wieczne jest nierozerwalnie złączone z miłością.

Dlaczego chcemy żyć wiecznie? Bo pragniemy spędzić

kolejny dzień z osobą, która jest u naszego boku. Chcemy żyć z kimś, kto zasługuje na naszą miłość i wie, jak chcemy być kochani.

Życie to miłość.

Sens życiu człowieka może nadać miłość do ukochanego zwierzaka, choćby psa. Jeśli nie mamy nawet takiej miłości, tracimy kontakt z rzeczywistością, nie widzimy sensu naszego istnienia.

Gdy znajdziemy Miłość, dostaniemy też całą resztę.

Przez dziesięć lat małżeństwa zaznałam wszystkich przyjemności, jakich może doświadczyć kobieta, ale też niezasłużenie cierpiałam. Patrząc wstecz, mogę powiedzieć, że mało było chwil, które mogłabym nazwać choćby mierną imitacją Prawdziwej Miłości. Może kiedy rodziły się dzieci, albo kiedy z mężem trzymaliśmy się za ręce i patrzyliśmy na Alpy i tryskającą fontannę na Jeziorze Lemańskim... Tych kilka momentów nadaje sens całemu mojemu życiu, obdarza siłą, dzięki której mogę iść przed siebie i cieszyć się każdym nowym dniem, chociaż niedawno chciałam utopić je w smutku.

Podchodzę do okna i patrzę na ulicę. Zapowiadany śnieg nie spadł, ale czuję, że to mój najbardziej romantyczny sylwester. Umierałam, a Miłość mnie wskrzesiła. Miłość, jedyne co pozostanie, gdy z powierzchni ziemi zniknie ostatni człowiek.

Miłość. W oczach mam łzy szczęścia. Nie sposób zmusić siebie do kochania ani zmusić drugiego człowieka, żeby nas pokochał. Jedyne, co można zrobić, to spojrzeć na Miłość, zakochać się w niej i ją naśladować.

To jedyny sposób, żeby kochać. Nie kryje się za tym żadna tajemnica. Kochajmy innych, kochajmy siebie, kochajmy nieprzyjaciół. Kiedy włączam telewizor, widzę, co dzieje się na świecie. Wystarczy, żeby w każdej tej tragedii pojawiła się odrobina miłości, a nasze szanse na zbawienie wzrosną. Miłość rodzi Miłość.

Kto potrafi obdarzyć uczuciem, kocha Prawdę, cieszy się Prawdą, nie boi się jej, bo prędzej czy później ona wszystkich wybawi. Szukajmy Prawdy z czystym sercem, pokorą, bez uprzedzeń i nietolerancji, a zadziwi nas to, co odnajdziemy.

Być może słowo szczerość nie opisuje istoty Miłości, ale nie znajduję lepszego. Nie chodzi mi o szczerość, która rani bliźniego. Prawdziwa Miłość nie polega też na obnoszeniu się z własnymi słabościami. Trzeba mieć odwagę okazywać je wtedy, kiedy potrzebujemy pomocy i cieszyć się, kiedy rzeczywistość okazuje się lepsza od tego, co nam mówiono.

Z czułością myślę o Jakubie i Marianne. Bezwiednie pomogli mi odzyskać męża i rodzinę. Mam nadzieję, że w tę ostatnią noc roku są szczęśliwi, że te trudne doświadczenia ich do siebie zbliżyły.

Czy to sposób na usprawiedliwienie zdrady? Nie. Szukałam Prawdy i ją znalazłam. Mam nadzieję, że odnajdą ją także inni, którzy przeszli to, co ja.

Ważne, żebyśmy nauczyli się lepiej kochać.

To powinno być naszym głównym zadaniem: nauczyć się kochać.

Życie podsuwa tysiące okazji do nauki. Każdy mężczyzna, każda kobieta dzień w dzień stają przed możliwością oddania się Miłości. Życie nie przypomina niekończących się wakacji – to ciągła nauka.

Najważniejsza jest lekcja miłości.

Trzeba uczyć się kochać coraz lepiej. Kiedy nie będzie już języków, proroctw, krajów, Konfederacji Szwajcarskiej, Genewy, ulicy, przy której mieszkam i latarni, które ją oświetlają, mojego domu, mebli w salonie, kiedy zniknie moje ciało, w duszy Wszechświata pozostanie jedno: moja miłość.

Mimo błędów, złych decyzji, które sprawiły innym ból, mimo że sama zwątpiłam w jej istnienie.

Odchodzę od okna. Wołam dzieci i męża. Zgodnie z tradycją powinniśmy stanąć na kanapie przed kominkiem i o północy postawić prawą stopę na podłodze.

– Kochanie! Pada śnieg!

Biegnę znów do okna i patrzę na snop światła pod latarnią. Pada śnieg! Jak mogłam tego nie zauważyć?

– Możemy wyjść na dwór? – pytają dzieci.

Jeszcze nie. Najpierw musimy wejść na kanapę, zjeść dwanaście winogron i zachować pestki, żeby nam się dobrze wiodło w nowym roku i żebyśmy umiejętnie korzystali z mądrości naszych przodków.

Potem wyjdziemy na dwór, żeby świętować życie. Jestem pewna, że czeka nas cudowny nowy rok.

GENEWA, 30 LISTOPADA 2013 ROKU

KONIEC

WYD. PIERWSZE · NAKŁAD 80 000 EGZ · PRINTED IN POLAND
DRZEWO BABEL · WARSZAWA, MAJ 2014

Wyłączny dystrybutor:
FIRMA KSIĘGARSKA OLESIEJUK
www.olesiejuk.pl

Druk i oprawa
Z.P. DRUK-SERWIS, G. GÓRSKA SP. J.
ul. Tysiąclecia 8b · 06-400 Ciechanów